»Bei dem Souper, gestern, mit Fischers, ist natürlich nichts
Positives herausgebraten. Das Beisammensein verlief so
nichtssagend wie nur immer möglich, und höchst wahrscheinlich wäre es, wie immer, viel besser gewesen, wenn er
mich und ich ihn niemals zu Gesicht bekommen hätte.«
Diesen bemerkenswerten Satz schrieb Thomas Mann am
30.8.1900 an den Jugendfreund Otto Grautoff, gut zwei
Wochen nachdem er das einzige Exemplar des handge-
schriebenen Manuskripts der ›Buddenbrooks‹ an den S. Fischer Verlag nach Berlin geschickt hatte.
Aber nicht nur der erste persönliche Kontakt, auch die
schriftstellerisch-verlegerische Beziehung begann mit einer
maßvollen Enttäuschung: Von der 1898 in der Collection
Fischer erschienenen Novellensammlung ›Der kleine Herr
Friedemann‹ waren bei einer Erstauflage von 2000 Exem-
plaren nach knapp zwei Jahren noch 1587 Bände am Lager.
Aus solchen Anfängen erwuchs eine auf freundschaftliches
Vertrauen gegründete, lebenslange Verbindung zwischen
Autor und Verlag, die schwierigste politische Verhältnisse,
Emigration, Mißverständnisse und materielle Sorgen nie
ernstlich bedrohen konnten. Auch nach Thomas Manns Tod
haben Frau Katia Mann und die Söhne Golo und Michael
dem Verlag ihr aufmerksames Wohlwollen bewahrt.
Zahlreiche Veranstaltungen, Ausstellungen, Symposien,
Aufführungen befassen sich 1975, im Jahr des 100. Ge-
burtstags, mit Thomas Mann; die originalen Texte, einzeln

oder gesammelt, Biographisches, Interpretierendes erscheinen in allen Kultursprachen. Der Verlag Thomas Manns sieht seine Aufgabe darin, das reichhaltige Werk so präsent zu halten, daß es den vielfältigsten Leserkreisen und -interessen zugänglich ist: mit der 13bändigen Gesamtausgabe, mit preiswerten gebundenen Einzelausgaben der Hauptwerke und mit zahlreichen neuen Taschenbuchausgaben. Außerdem erscheint der erste Band von Peter de Mendelssohns definitiver Thomas Mann-Biographie.

Ein Dreivierteljahrhundert lang sind immer neue Generationen mit den Büchern Thomas Manns aufgewachsen, sind an ihnen gewachsen; sein Werk hat, entgegen besorgten Prophezeiungen, nie merklich an Popularität verloren, noch war es, um zu wirken, auf Wogen, Wellen und Moden angewiesen. Immerhin darf mit Befriedigung festgestellt werden, daß in den letzten Jahren die Neigungen der Leser sich immer nachdrücklicher dem erzählerischen Kosmos Thomas Manns zugewendet haben.

Unsere Broschüre versucht, Lebendigkeit und Aktualität des Werkes durch einige Angaben aus der Verlagspraxis, vor allem aber durch Zeugnisse aus der literarisch-kulturellen Öffentlichkeit zu dokumentieren. Den zweiunddreißig Autoren, die für dieses Bändchen über ihr Verhältnis zu Thomas Mann etwas aufschrieben, sei an dieser Stelle herzlich gedankt; ihre Auswahl ist notwendig begrenzt und zufällig. Katia Mann erzählt in ihren ›Ungeschriebenen Memoiren‹, daß sich Thomas Mann über die Nachwirkungen seines Werks gar nicht sehr sicher gewesen sei: »Er hat immer gesagt, das kann kein Mensch vorauswissen.« Er wäre, so hoffen wir, mit den Lesern von 1975 nicht ganz unzufrieden.   *Der Verlag*

THOMAS MANN WIRKUNG UND GEGENWART

Aus Anlaß
des hundertsten Geburtstages
am 6. Juni 1975
herausgegeben
vom
S. Fischer Verlag

REDAKTION WOLFGANG MERTZ

Alle Rechte vorbehalten
Abdruck nur mit Genehmigung des
S. Fischer Verlags GmbH, Frankfurt am Main
Ausstattung Dieter Kohler
Satz Gutfreund & Sohn, Darmstadt
Druck Georg Wagner, Nördlingen
Einband Hans Klotz, Augsburg
Printed in Germany 1975
ISBN 3 10 048185 2

FRAGEN ZU THOMAS MANN stören mich. Denn sein Werk ist für mich und, wie ich glaube, für viele meinesgleichen etwas so unbefragt Selbstverständliches, daß ich vermutlich erklären muß, wie es dazu kam. Dies wiederum hat mit dem Werk zunächst nur indirekt zu tun.

Denn in den Nachkriegsjahren, als Halbwüchsige hörten wir mehr über ihn, als wir ihn lesen konnten, und wir hörten in der kleinstädtischen mecklenburgischen Oberschule Ehrfurchtgebietendes: Thomas Mann war der literarische Repräsentant des Anderen Deutschland, mit den Worten unseres späteren Kulturministers, der ein Dichter war: der größte deutsche Schriftsteller des 20. Jahrhunderts. Und das besagte Außerordentliches. Denn wie Literarisches an sich schon auf der Wertetabelle obenan stand, so wurden wir zur Achtung vor dem Widerstand gegen Hitler erzogen. Die Exilliteratur – um das zu begreifen, bedurfte es in unserer Kleinstadtschule nicht der Jahrzehnte – war die deutsche Literatur der jüngstvergangenen Zeit, und Thomas Mann also war ihr Repräsentant. So lasen es unsere Lehrer in den kanariengelben Büchern von Georg Lukács, die der Aufbau Verlag herausbrachte, und so lasen wir es danach selbst.

Die Romane Thomas Manns blieben uns noch vorenthalten, weil der Originalverlag, wie wir erfuhren, Schwierigkeiten machte. Ein wendiger Umsiedler hatte zwar die zurückgebliebenen Buchbestände der enteigneten Gutsbesitzer aus der Umgegend requiriert und eine Leihbibliothek eröffnet, aber Thomas Mann war nur mit ›Buddenbrooks‹ vertreten. Und dies war auch das erste Buch des Autors, das wir lasen. Nun wußten wir also, wie sich bürgerlicher Verfall zuträgt. Für uns, die wir keine Bürgersöhne waren, hatte das etwas Lustiges und ungemein Beruhigendes. Nein, unsere Probleme waren es gewiß nicht, die da verhandelt wurden, aber es war auch nicht einfach schöne Literatur. Da wir gleichzeitig Lukács lasen, ahnten wir, daß ›Buddenbrooks‹, zumal sie ja auch ins großgrundbesitzerliche Mecklenburg hinüberspielten, entfernt mit den Enteignungen in der Umgebung zu tun hatten.

Mangels Exemplaren konnte Thomas Mann nicht zu den Pflichtautoren aufrücken, was seinem Ansehen gewiß nicht schadete. – Auf der Leipziger Universität am Anfang der fünfziger Jahre kam es anders. Der eine unserer Professoren lehrte wie seit dreißig Jahren, über allen Wandel hinweg, den »Geist der Goethezeit«, der andere, jüngere, selbst ein Emigrant, lehrte den literarischen Zeitgeist, den er ganz selbstverständlich in Thomas Mann verleiblicht sah. Zwischen dem alten Olymp und dem neuen Olymp kam es öfter zu Machtproben, die meistens zugunsten des neuen ausgingen. Wir nämlich, wenn wir schon Texte vorwärts und rückwärts buchstabieren mußten, taten es lieber am ›Zauberberg‹ als am ›Wilhelm Meister‹.

Merkwürdigerweise führt für mich alles, was Thomas Mann angeht, unvermittelt über das Literarische hinaus, wie alles Literarische auf ihn zurückführt. Das Schillerjahr 1955, zu dem er auch nach Weimar kam, wurde für uns mehr zu einem Thomas Mann-Jahr. Es war auch das Jahr seines Todes, und dieser Tod machte uns betroffen. Heute weiß man, warum. Damals endete, so brüchig, ja so unwirklich immer sie gewesen sein mochte, die Einheit der deutschen Kultur.

Bei so viel Bewunderung, indoktrinierter Bewunderung müßte nun nach allen bereitstehenden Regeln die Peripetie folgen. Ich will gestehen, daß ich, Brechts und anderer –

weniger relevanter – Personen höhnische Bemerkungen im Ohr, immer wieder den Versuch zum Thronsturz gemacht habe, und ich muß gestehen, daß es mir, zuletzt bei einer neuerlichen Lektüre des ›Zauberberg‹, mißlungen ist. Der Glanz der Repräsentanz ist verblichen, aber diese Repräsentanz war wohlfundiert in der unbestimmt realen Macht des Erzählers Thomas Mann. Sie aber ist so selbstverständlich, daß es sich darüber fast nicht zu reden lohnt.

KAUM HATTE ICH lesen gelernt, mit elf oder zwölf Jahren, waren Bücher von Thomas Mann Bestandteil meiner Lektüre. Dies ist nicht etwa auf die Anleitung kultivierter Erwachsener oder auf einen angeborenen guten Geschmack zurückzuführen, sondern einfach darauf, daß unter den Büchern, die mir zufällig zugänglich waren in unserer Wohnung, sich auch einige von Thomas Mann befanden.

Später, als ich zum zweitenmal las, plagte mich der Verdacht, viel zu früh an Thomas Mann geraten zu sein, über meinen Kinderkopf hinweggelesen, Manns Bücher zwar mühsam entziffert, jedoch nicht im entferntesten in Besitz genommen zu haben. Wenn es auch richtig ist, daß ich damals so gut wie nichts verstand, glaube ich heute nicht mehr an dieses zu früh. Ich halte es vielmehr für wahrscheinlich, daß aus dem zu frühen Lesen ein Gewinn entstanden ist, trotz aller »Überforderung«, den ich nicht näher bezeichnen kann. Auf keinen Fall möchte ich heute ein Kind gewesen sein, dessen Lektüre nach landesüblichen pädagogischen Kriterien ausgewählt wurde.

Das Geständnis, Thomas Mann zu lieben, ist gewiß nicht sonderlich originell. Welches seiner Bücher am meisten, darauf fällt mir die Antwort schwer. Ich sage jetzt ›Der Erwählte‹, aber schon kommen mir die meisten anderen seiner Werke ungerecht behandelt vor, benachteiligt.

Denen, die gerade zu lesen beginnen, würde ich das nächste Buch Manns, das sie erwischen können, am ehesten empfehlen. Man hört oft behaupten, daß vornehmlich »leichte Lektüre« sich eigne, Leser zu ködern, und wenn derlei stimmt, dann weiß ich bei Thomas Mann kein Stückchen Speck. Oder ich behaupte einfach das genaue Gegenteil, ich sage, man kann, was man will, von Mann nehmen, es ist alles auf verblüffende Weise leicht, also frei von Langeweile und gedankenreich, folglich auch amüsant. Das Vergnügen an Anstrengungen ist unvergleichlich, vielleicht das einzige, das diesen Namen verdient. Und wer darauf verzichtet, der stirbt zwar nicht daran, höchstens ein bißchen.

ICH BEANTWORTE gerne einige Fragen zu Thomas Mann.
Für mich ist das liebste seiner Werke ›Felix Krull‹ – ihn habe
ich auch zuletzt gelesen (und wiedergelesen).

Als Sechzehnjähriger begann ich, Thomas Mann zu lesen.
Mein Vater, der Kritiker Félix Bertaux, hatte ›Der Tod in
Venedig‹ kurz vor Ausbruch des Ersten Weltkriegs in der
›Nouvelle Revue Française‹ besprochen und 1923 einen
französischen Verleger zur Publikation eines Buches eines
deutschen Autors ermuntert. Die Wahl fiel auf ›Tod in Venedig‹. Mein Vater besorgte die Übersetzung und zog mich
zu dieser Arbeit bei, an die ich mich lebhaft erinnere.

Für die jungen Leute von heute sind Thomas Manns Erzählungen, ›Tonio Kröger‹ etwa, und einige Teile des ›Felix
Krull‹ sicher am leichtesten zugänglich. In diesem Alter hat
man weder Geduld noch Zeit, um sich an die großen Romane zu machen; Hauptsache, daß der Appetit geweckt
wird.

›Tonio Kröger‹, Ende 1902 vollendet, im Februar 1903 in der
›Neuen deutschen Rundschau‹ abgedruckt, erschien im gleichen
Jahr in dem Novellenband ›Tristan‹. Immer wieder stützt der Text
eine der Fischerschen Reihen: 1914 mit Zeichnungen von Erich M.
Simon ›Fischers Illustrierte Bücher‹, 1933 die neu gegründete ›S.
Fischer Bücherei‹, 1952 ›S. Fischer Schulausgaben moderner Autoren‹ (allein in dieser Serie wurden bis Juni 1972 585 000 Exemplare aufgelegt), seit 1973 als Band 1381 zusammen mit ›Mario
und der Zauberer‹ im Fischer Taschenbuch Verlag.

NIEMAND WIRD überraschen, daß mein liebstes Buch des großen Schriftstellers Thomas Mann ›Der Tod in Venedig‹ ist. Alles, was ich dieser Erzählung gegenüber empfinde, drückt meine Oper aus, die auf diesem Werk fußt.

1946, ich war 19 Jahre alt, erwarb ich in einem Potsdamer Antiquariat für 1,50 Reichsmark den ›Tonio Kröger‹ in einer Ausgabe von Fischers Illustrierten Büchern von 1921. Das war meine erste Thomas-Mann-Lektüre, und sie ist mir für einige Jahre die liebste geblieben. Seitdem hat das Werk Thomas Manns mein Leben begleitet, aber die Rangfolge der Wertschätzung einzelner Werke wechselte ständig, vom ›Zauberberg‹ über den ›Krull‹ bis zu den ›Josephs‹-Romanen. Aber der letzte Wechsel wird das wohl noch nicht gewesen sein. Zwar spüre ich, wie Abstand und mit diesem Kritik wachsen, aber ein Fest ist das Lesen seiner Bücher doch jedesmal wieder.

DIE BLEIBENDE VITALITÄT und Bedeutung von Thomas Manns Werk kann jene seiner zahlreichen Leser nicht überraschen, die ihn seit langem als einen der großen schöpfungsmächtigen Schriftsteller unserer Zeit richtig eingeschätzt haben. Autorenkollegen bewundern die Architektur und den symphonischen Aufbau seiner umfänglichen Romane, die so reich und herrlich orchestriert sind durch seine magische, dunkel abgetönte Prosa. Aber Mann ist mehr als Mann – mehr als bloß ein großer Schriftsteller. In Deutschlands schwierigen Jahren wurde er für Europa zum Symbol dessen, was deutsche Kultur bedeutete und wie sehr sich ihre Maßstäbe auf alle europäischen Länder bezogen. Sooft ich mir verzweifelt und traurig Rechenschaft darüber abgab, was in Deutschland passierte, richteten sich meine Gedanken auf Thomas Mann, und ich wurde mir mit einem Seufzer der Erleichterung bewußt, daß es das wahre Deutschland noch gab und daß es wieder aufblühen würde. In solch vitalem Sinn setzten wir Thomas Mann gleich mit Deutschland, mit der Hoffnung auf Deutschland in einer noch nicht klar erkennbaren Zukunft. Aber er repräsentierte nicht allein die Kultur, sondern verkörperte den Geist Europas. Wie sollte uns da sein Werk nicht noch immer bewegen?

Die Gesamtzahl der von Thomas Mann geschriebenen
Briefe – eingeschlossen Brief-, Post- und Ansichtskarten –
wird auf 20 000 geschätzt; dazu kommen noch 4000, haupt-
sächlich in den USA, diktierte Briefe, deren Durchschläge
erhalten sind. Ungefähr der sechste Teil des Briefwerks, gegen 4000 Stück, wurden bis jetzt veröffentlicht.
Eine erste, zunächst auf zwei Bände angelegte, endgültig
drei Bände umfassende Auswahl gab Erika Mann heraus:

> 1961 ›Briefe 1889–1936‹
> 1963 ›Briefe 1937–1947‹
> 1965 ›Briefe 1948–1955 und Nachlese‹

Auf das Gemeinsame, auf die »Erinnerung an die Kindheit,
in der begann, was ihrer beider Leben bestimmte: Brüderlichkeit, Brüderlichkeit als Schicksal« hebt Hans Wysling ab
in der Einführung zu:

›Thomas Mann – Heinrich Mann, Briefwechsel 1900–1949‹

erschienen 1968, ab Juni 1975 als Fischer Taschenbuch.
Als Beweis eines fast ein Vierteljahrhundert bestehenden
Vertrauens- und Freundschaftsverhältnisses kann der 1973
von Peter de Mendelssohn herausgegebene Band

> ›Thomas Mann, Briefwechsel mit seinem Verleger
> Gottfried Bermann Fischer 1932–1955‹

gelten, jetzt auch ungekürzt im Taschenbuch.
Wichtige Zeugnisse und Selbstdarstellungen aus der Jugend
und den Jahren des frühen Ruhms enthält die jüngste, wieder von Peter de Mendelssohn edierte Briefpublikation

> ›Thomas Mann, Briefe an Otto Grautoff 1894–1901
> und Ida Boy-Ed 1902–1927‹

Da an eine kritische Gesamtausgabe aller Thomas Mann-Briefe in absehbarer Zeit nicht zu denken ist, haben sich Hans Bürgin und Hans-Otto Mayer, die Verfasser von ›Thomas Mann. Eine Chronik seines Lebens‹ (1965 bei S. Fischer erschienen), zu einer verkürzten Wiedergabe des Briefwerks in Regestform entschlossen: Die ungefähr 14 000 erhaltenen Briefdokumente an rund 4200 Empfänger wurden auf Karteikarten aufgenommen mit genauer Wiedergabe von Inhalt, Fundstellen, Veröffentlichung und erwähnten Werken, Namen und Orten.

›Die Briefe Thomas Manns. Regesten und Register.
Bearbeitet und herausgegeben unter Mitwirkung des
Thomas Mann-Archivs
der Eidgenössischen Technischen Hochschule in Zürich
von Hans Bürgin und Hans-Otto Mayer.
Mit einem Vorwort von Hans Wysling‹

ist auf drei Textbände mit einem Registerband angelegt und wird ab 1976 bei S. Fischer in halbjährlicher Folge erscheinen; Band I erschließt die Jahre von 1889–1933.

Nr.: 25.58

Datum: 26.7.

Ort: München

Empfänger: Max Rychner

O: eig. Br., 6 S.,kl.8' - Orig.: privat -
   TMA-Zürich: Photokop.

D: Druck: Briefe I, S.244 f. (fragm.);
   Bl. d.T.M.Gesellsch.,1967,Nr.7,
   S. 10 f. (vollst.)

Dankt für R's Aufsatz zum 50.Geburtstag. Hatte den Essayband "Bemühungen" fertigzustellen. Möchte den "Krull" weiterführen, doch Pläne von historischen Novellen haben den Vorrang (Novellenpläne nicht ausgeführt).

Werke: Ges. Werke in 10 Bänden,Bd.10: Bemühungen; Felix Krull I; Joseph-Roman; Was verdanken Sie der kosmopolitischen Idee?(Bibliogr.Bürgin V,220)

Namen: M.Rychner(T.M. zu seinem 50.Geburtstag.In:Wissen u. Leben. 18/1925, S.603 f.); Maximilian Harden; Erasmus von Rotterdam; Luther; Jonas Lesser (Neue erzählende Prosa.In: Wissen u.Leben. 18/1925,S.759 f.); Kurt Erich Suckert (Ps. f.Curcio Malaparte); Carl Helbling; Wissen und Leben; Die literarische Welt; Ernst Rowohlt Verlag,Berlin

Orte: Paris,Zürich

Das schönste Buch von Thomas Mann ist für mich: ›Unordnung und frühes Leid‹. Als ich es zum ersten Mal las, war ich so betroffen, daß ich es nie mehr vergaß.

Es gibt noch zwei andere Dichter, mit denen es mir ähnlich ging – anders als bei allen andern, Berühmtheiten, Verehrten und Verehrungswürdigen: Das sind Hölderlin und Adalbert Stifter.

Wenn Hölderlin sagt: Nimm mich, wie ich mich gebe, und denke, daß es besser ist zu sterben, weil man lebte, als zu leben, weil man nie gelebt –

Wenn Stifter schreibt: Es wurde Abend, die letzten Strahlen der Sonne fielen auf die blühenden Rosen, ich betrachtete das alles, atmete ihren Duft und wischte mir die Tränen vom Gesicht, die nicht aufhörten zu fließen, weil Du fortgegangen warst –

dann sind diese Sätze für mich der Beginn der gleichen inneren Beteiligung, wie Thomas Mann sie herausfordert, als er fassungslos und tief betroffen dem Schmerz und der Verzweiflung seiner Kinder gegenübersteht.

Es gibt so viele Bücher, Schriften, Aussagen, Dokumente, interessant zu erfahren, zu lesen, ich bin begeistert, hingerissen, aber für mich ist nichts der Aussage eines liebenden Menschen gleich, der es wagt und der nicht anders kann, als uns sein innerstes schmerzliches Gefühl voll Zartheit und Schönheit zu offenbaren.

»1925« steht neben meinem Namen in dem ersten T. M.-Buch, das ich selbst erwarb, es war der ›Tonio Kröger‹, und ich hatte, siebzehnjährig, allen Grund, ihn zu lesen, denn Hans Hansen und Inge Holm, beide in süddeutscher Prägung, waren für mich ebenso wichtig wie unerreichbar, und mit der in mancherlei Gestalt wiederkehrenden Magdalena Vermehren (»die immer hinfiel«) gab es manche Mühe. Seither sind fünfzig Jahre ins Land gegangen, und in diesen sechshundert Monaten war nicht einer, der mich nicht mit einem T. M.-Buch zusammen sah oder mit mehr als einem: der ›Zauberberg‹ reiste mit in die Ukraine und die ›Lotte‹ ins Feldquartier nach Rumänien. Und als es dann, gleich nach Kriegsende, wirklich einmal ganz bücherlose Monate gab in amerikanischer Kriegsgefangenschaft, da war Thomas Mann für mich so präsent, daß ich kein Buch mehr brauchte, um den Glückwunsch zum siebzigsten Geburtstag auf einer Wiese im Bayrischen Wald zu schreiben, und wahrhaftig, auch ein Captain der US-Army stellte sich ein, der den Brief nach Californien beförderte. Und selbst in schlimmsten Fieberwochen, wie sie vor Jahr und Tag mir zukamen, erwiesen sich die Träume des Osarsiph als höchst träumenswert.

Warum war mir daran gelegen, in diesem ganzen Zehntausend-Seiten-Werk so gründlich heimisch zu werden, so, daß ich hier – und fast nur hier – mir's zutrauen darf, das »Alles-oder-nichts«-Ratespiel vom Fleck weg zu bestehen? Warum diese lebenslange Treue? Weil ich nicht müde werden kann, dreierlei zu rühmen. Die äußerste Sorgfalt, die hier waltet, das in jedem Detail genaue, vollkommen gleichmäßige Teppichgewirk: so bei Clawdia Chauchat, beim Kellner Mager, in der späten Tschechow-Studie oder bei unsrem »Zicklein«, der armen Eleanor, die Armand-Felix so hoffnungslos liebt. Ich rühme den großen Liebesernst, der, allem Pathos widerstreitend, sein »Für«, eine Art von »Ur-Für«, wohl verbirgt hinter allen Masken des Zweifels, der Ironie und der Verneinung, doch nie verleugnet. Und ich liebe die levità, die vom Unübersehbar-Viellinigen kurzweilig, vom Dunklen heiter zu reden wußte, jene mozartsche levità, ohne die in der Kunst das Höchste nicht gelingt. Hier ist das Höchste gelungen.

beantwortete vier Fragen nach seinem Verhältnis zu Thomas Mann in Stichworten:

›Doktor Faustus‹ ist ihm das liebste Buch; zuletzt las er (wieder) den ›Zauberberg‹; als Zwanzigjähriger begann er die Thomas Mann-Lektüre mit den ›Buddenbrooks‹, und nach seiner Meinung sollten junge Menschen heute von Thomas Mann unbedingt ›Buddenbrooks‹ und eine Auswahl der Erzählungen kennen.

Veranstaltungen im Thomas Mann-Jahr: Eine Ausstellung mit über 1000 Schaustücken zu Leben und Werk richtet das Zürcher Thomas Mann-Archiv unter seinem Leiter Prof. Hans Wysling aus; sie wird am 31. Mai 1975 im Zürcher Helmhaus eröffnet und soll im Lauf des Jahres in mehreren Städten der Bundesrepublik, u. a. Berlin und Frankfurt, gezeigt werden. Am selben Tag veranstaltet das Zürcher Schauspielhaus eine Abendfeier mit Lesungen aus dem Werk. Weitere Ausstellungen werden in Düsseldorf und Bonn vorbereitet. Lübeck begeht den 100. Geburtstag mit einer Thomas Mann-Festwoche vom 31. Mai bis 8. Juni; dazu gehören eine Ausstellung »Lübeck zur Zeit der Buddenbrooks«, Lesungen aus dem Werk, Referate, musikalische Darbietungen und Filmvorführungen. Den Festvortrag hält Prof. Michael Mann; Prof. Golo Mann verleiht den neu gestifteten Thomas-Mann-Preis. Die Bayerische Akademie der Schönen Künste in München veranstaltet vom 25. bis 30. Mai ein Symposium, bei dem sich namhafte Wissenschaftler verschiedener Disziplinen zu Aspekten des Werks äußern werden.

Je weiter die Lesung fortschritt, um so weniger achtete ich auf die Sätze, die an mein Ohr drangen, und um so mehr verlor ich mich an das eigenartige Gesicht des Mannes, der mir schräg gegenüber saß. Die beherrschende Kühnheit der Nase schien mir nicht recht zu der Schwermut der Augen und der Empfindlichkeit des Mundes zu passen. Durch diesen Widerspruch erhielt das Gesicht [Thomas Manns] etwas Unausgeglichenes, ja Leidendes, ja Gequältes. Am meisten beeindruckte mich die Schwermut der Augen. Keine romantisch-gefühlvolle, sondern eine wache und wissende, die sich dann einstellt, wenn der innere Blick bis in die Tiefen der Welt dringt, bis dahin, wo alles dunkel, verworren und heillos wird. Mit einem Male begriff ich, daß die Kühnheit, Empfindlichkeit und Schwermut nicht im Widerspruch zueinander standen, sondern sich bedingten. Kühnheit und Männlichkeit waren vonnöten, damit der Geist in die Abgründe des Seins zu schauen wagte. Aber weil ihm nicht nur Kühnheit und Männlichkeit eigneten, sondern auch Empfindlichkeit und Verletzlichkeit, litt er unter dem, was er da unten erblickte. Er litt und er empörte sich. Denn der Geist will nicht die Finsternis, sondern die Klarheit, nicht das Verworrene, sondern die Gestalt, nicht die Vergänglichkeit, sondern die Dauer, nicht die Heillosigkeit, sondern das Bewahrtsein. Aber zugleich wußte dieser Geist, daß alle menschliche Empörung, wie immer sie sich geäußert hatte, vergeblich geblieben war und in alle Ewigkeit vergeblich bleiben würde. Es mochte sein, daß sich das Weltwesen an seiner Oberfläche als veränderbar erwies, obwohl das noch dahinstand, aber an den rätselvollen Grund, an die Finsternis und Traurigkeit, kam kein Empörungswille heran. Das Seltsame und Unbegreifliche war nur, daß von Anbeginn der Menschenzeit bis zu dieser Stunde immer wieder einzelne, sehr einzelne, aufgestanden waren, die sich trotz des Wissens um die Vergeblichkeit ihres Unterfangens an die Arbeit gemacht hatten, der Vergänglichkeit ein Bleibendes, der Heillosigkeit eine Rettung, dem Chaos eine Gestalt abzugewinnen, sei es eine Gestalt des Raumes, der Farbe, des Tones oder des Wortes. Eine schreckliche, weil aussichtslose Arbeit, eine Arbeit des Unterliegens und Scheiterns, des sich wieder Aufrichtens und von neuem Scheiterns. Ein Kampf, der in seiner Verbissenheit an Wahnsinn grenzte, wenn er nicht überhaupt schon Wahnsinn war. Ein Kampf aber auch, der keine Atempause kannte. Wo der Bildhauer, der Maler, der Komponist, der Dichter sich auch befand und wie er sich auch befand, das Werk ließ ihn nicht los. Jede Pause war nur eine Scheinpause. Das Ringen ging weiter. Was nicht dem Werden des Werkes diente, war eine Störung, insbesondere das Zusammensein mit andern Menschen. Es ließ sich nicht vermeiden, gut, aber dann sollte es so unverbindlich wie möglich geschehen. Bleibt mir vom Leibe! Laßt mich zufrieden! Der beste Schutz gegen Störungen dieser Art war die Unwirschheit bis hin zum Sonderlingstum oder die bürgerliche Korrektheit bis hin zur unterkühlten Höflichkeit. Es kam darauf an, Distanz zu wahren, um jeden Preis, keine Kräfte zu verschwenden, die doch so nötig gebraucht wurden, die anfälligen Kreise nicht stören zu lassen um der Arbeit willen. Um einer Arbeit willen, die ohne Hoffnung und ohne Verheißung war und die doch unbedingt getan sein wollte.

Mit einem Male begriff ich das widerspruchsvolle, das gequälte, das einsame, das bürgerliche Gesicht Thomas

Manns. Er, der Fünfundvierzigjährige, ahnte nichts von den Gedanken, die den um dreiundzwanzig Jahre Jüngeren bewegten. Mit verhaltener Stimme fuhr er fort, von den Freuden und Leiden seines Hundes zu berichten. »Der häßliche und für Bauschans Begriffsvermögen so unsinnige Zwischenfall sank hinab in die Vergangenheit, unerlöst eigentlich, unaufgehoben durch klärende Verständigung, welche unmöglich gewesen wäre, aber die Zeit deckte ihn zu, wie es ja auch zwischen Menschen zuweilen geschehen muß, und über ihm lebten wir fort, während das Unausgesprochene tiefer und tiefer ins Vergessen zurücktrat...« Nach wie vor las er die Sätze mit bedachter Lautbildung und sorgfältigster Betonung.

Das »Buch der Bücher« ist für mich der ›Zauberberg‹, das einzige Werk, das ich, neben dem Alten Testament, auf die berühmte einsame Insel mitnehmen würde, die dem Schiffbrüchigen weder Menschen noch Bücher bieten kann.

Als ich den ›Zauberberg‹ zum ersten Mal las, 1938, war ich fünfzehn Jahre alt. Seitdem hat mich das Buch begleitet, und obwohl ich mittlerweile ganze Absätze auswendig kenne, vergeht kaum ein Jahr, in dem ich das staunenswerte Kompendium nicht zumindest kursorisch studiere; immer noch Neues entdeckend.

So betrachtet, sind Hans Castorp und ich unzertrennlich – und das nicht nur in metaphorischem Sinn. Im Krieg habe ich das Buch wortwörtlich auf dem Leibe getragen: die Dünndruckausgabe in der Jackentasche. Ging also Castorp drauf, dann war es auch um mich geschehen. Gottlob haben wir gemeinsam überlebt, der gute Hans – und sein hanseatischer Landsmann Walter Jens.

»Vergessen Sie nicht, lieber Herr Mann, daß eine umfangreichere Produktion eine viel breitere Basis für Honorarzuflüsse gibt… Ich hoffe sehr, daß Sie den anliegenden Vertrag, der nun alle diese Punkte zu Ihren Gunsten regelt und Ihnen besonders auch für den ›Zauberberg‹ und für den kommenden Essaiband rückwirkend eine Prämie von 8000 Mark sichert, als einen guten Auftakt ansehen. Ich tue, was ich kann.« S. Fischer an Thomas Mann

Zum 70. Geburtstag von Samuel Fischer am 24. 12. 1929 bildete die Verlags- und Autorengemeinschaft noch einmal ein stolzes Bild geistigen Lebens, zu dessen Würdigung und Repräsentanz der Reichskanzler als Gratulant erschien. Auf dem Gabentisch lagen zwei große, in Pergament gebundene Alben mit den Photos unserer Autoren, denen jeder einen Glückwunsch zugefügt hatte. Da lautete die Anrede Thomas Manns: »Mein lieber, kluger, guter alter Freund…« Und Thomas Manns Kinder nannten meinen Mann »das große Vaterauge«. *Hedwig Fischer*

S. Fischer   Hedwig Fischer   Gottfried B. Fischer

Thomas Mann fuhr in seinem Grußwort fort: »… von ganzem Herzen und mit den anhänglichsten Gefühlen, die sich während der Zusammenarbeit eines Menschenalters tief und fest in mir verwurzelt haben, beglückwünsche ich Sie zu diesem Tag der Fülle und Würde und bekenne Ihnen meine ganze Bewunderung und Sympathie für Ihr Leben und Werk!«

Fünfundfünfzig Jahre, durch zwei Verlegergenerationen hindurch, ist der Verlag mit ihm und seinem Werk verbunden. Durch friedliche und wildbewegte Zeiten sind wir gemeinsam gegangen. Unsere Bindung an ihn und an sein Werk fand ihre Entsprechung in seiner Treue zu uns durch alle Gefährdungen und durch alle Krisen unseres wechselvollen Verlagslebens hindurch. Es hat etwas Beglückendes, daß ein solches Verhältnis die Katastrophen, die unsere Welt erschütterten, allem Skeptizismus zum Trotz überdauern konnte.   *Gottfried Bermann Fischer*

Katia Mann   Thomas Mann   Brigitte B. Fischer

Ich kam gut mit Fischer aus. Ich mochte Sami Fischer sehr gern. Öfters habe ich mich mit ihm gestritten, aber das ist bei Verhandlungen ja nur normal. Ich wollte nicht, daß mein Mann sie mit ihm führte, und wenn ich dann kam, sagte Fischer gleich: Na, was haben Sie denn heute wieder für einen Dolch im Gewande?

Katia Mann

Das Buch von Thomas Mann, das ich am häufigsten gelesen habe, sind die ›Buddenbrooks‹; das »liebste« möchte ich es deswegen nicht nennen, vielleicht das (für mich) am meisten brauchbare.

Zuletzt habe ich gelesen ›Der Zauberberg‹, aber sämtliche Diskussionen zwischen Settembrini und Naphta übersprungen.

›Tonio Kröger‹ las ich als erstes, etwa 1950. Das Ergebnis war der Entschluß, einen Beruf zu suchen, in dem das Lesen von erzählender Literatur zu den Arbeitsbedingungen gehörte, und den Beruf eines Schriftstellers zu meiden.

Es ist mir nicht möglich, anderen ihre Genuß-Varianten vorzuschlagen. Immerhin kann ich nicht umhin, wie Thomas Mann »in dem Schrecken der bürgerlichen Welt vor dem Wort Kommunismus, diesem Schrecken, von dem der Faschismus so lange gelebt hat, etwas Abergläubisches und Kindliches zu sehen, die Grundtorheit unserer Epoche«; das liegt auch gut auf der Zunge.

Allerdings, wenn ich in einem meiner Bücher eine Wendung zitiere wie »er war sich nichts vermutend gewesen«, kann ich in Rezensionen lesen, ich hätte einen »unsagbar knorpeligen Satz« konstruiert oder sei in »stelzendes Altertümeln« geraten. Deswegen hoffte ich, es würden in diese Umfrage auch Rezensenten einbezogen.

Ich kannte Thomas Mann persönlich sowie auch Erika, Klaus und Golo aus München aus der Studentenzeit. Auf einem Autorenabend im Kutscherkreis (ich bin Schüler des Münchener Theaterprofessors gewesen) begegnete ich ihm zuerst. Ich hatte damals noch nicht viel von ihm gelesen, aber ein Werk kannte ich damals schon, und es ist mir auch das liebste geblieben: ›Der Zauberberg‹. Zuletzt las ich wieder ›Der Tod in Venedig‹, um nach dem Film meine Erinnerungen an diese hervorragende Novelle zurechtzurücken. Alle jungen Menschen sollten meiner Meinung nach den ›Zauberberg‹, ›Felix Krull‹ und den ›Faustus‹-Roman kennen. Ich erinnere mich, daß ich als junger Leser mit Sprache und Satzbau bei Thomas Mann meine Schwierigkeiten hatte, mit vielen Bewunderern diskutierte. Erst bei späterem Lesen habe ich mich an das, was ich damals Manierismus und Geschraubtheit nannte, zunächst gewöhnt und dann das ungeheure Stilgefühl der Satzungetüme über viele Seiten erkannt und schätzen gelernt. Vielleicht geht es jungen Leuten heute noch so.

VIELLEICHT BEWUNDERE ICH von allen Werken Thomas Manns die ›Buddenbrooks‹ am meisten. Ein Fünfundzwanzigjähriger, der nicht irgendeine historische Epoche, sondern die jüngste, eigentlich unzugänglichste Vergangenheit meisterhaft darstellt, Blüte und Niedergang der alten Kaufmannsgeschlechter, und den verderblichen Einfluß der Wagnerschen Musik und der Schopenhauerschen Philosophie. – Die Novelle ›Tonio Kröger‹ habe ich nicht gleichermaßen geschätzt und von den frühen Novellen eigentlich nur den ›Tristan‹, diese Sanatoriumsgeschichte, in der ein morbider Lyriker sich gegen die rohe Lebenskraft auflehnt, an der die von ihm angebetete junge Frau zugrunde geht. Den ›Zauberberg‹ habe ich auch geliebt, alle Gestalten dieses großen Romans sind mir noch heute gegenwärtig, alle Gespräche, besonders die zwischen Naphta und Settembrini, denen Hans Castorp in seiner merkwürdigen Rolle eines ungeistigen, aber ahnungsvollen Zeitgenossen beigewohnt hat. Und natürlich der Katzenschritt und das Türenschlagen der Clawdia Chauchat und die eindrucksvolle Gestalt des Mynheer Peeperkorn, in dem man Gerhart Hauptmann erkannt hat.

Im ersten der ›Josephs‹-Romane beeindruckte mich die mythische, zugleich auch menschliche Darstellung der biblischen Geschichten, die späteren amüsierten mich, wenngleich mich der wachsende Manierismus verdroß. Im ›Faustus‹ waren mir alle die neue Musik betreffenden Passagen interessant, aber das altdeutsche Kapitel ein Graus und widerwärtig auch die Gestalt des so affektiert daherredenden Bübchens, dem die Liebe des Komponisten gehört. Abstoßend bis zur Übelkeit waren auch die Romane ›Die Betrogene‹ und ›Der Erwählte‹, während die ›Lotte in Weimar‹ mich entzückte – wenn ich an die gemeinsame Lektüre dieses Romans (bei Dolf und Ilse Sternberger in der Bockenheimer Landstraße) zurückdenke, kommt es mir vor, als habe sich das helle, lebhafte Vergnügen, das Thomas Mann meiner Generation bereitet hat, mit keinem andern Lesevergnügen vergleichen lassen.

Thomas Manns Reden und Aufsätze habe ich gelesen – und vergessen. Nur sein ›Versuch über Schiller‹, den ich im subtropisch heißen São Paulo von einer Platte hörte, ist mir als etwas Außerordentliches im Gedächtnis geblieben.

Sieben Spielfilme wurden bis heute nach Werken Thomas Manns gedreht, zuletzt unter der Regie von Egon Günther ›Lotte in Weimar‹ mit Lilli Palmer als Charlotte Buff, Uraufführung geplant für den 6. Juni 1975. Voraus gingen ›Buddenbrooks‹, zuerst 1923, Regie Gerhard Lamprecht; dann in zwei Teilen 1959, Regie Alfred Weidenmann. Harald Braun drehte 1953 ›Königliche Hoheit‹, Rolf Thiele 1964 sowohl ›Tonio Kröger‹ wie ›Wälsungenblut‹. Luchino Viscontis Verfilmung von ›Der Tod in Venedig‹ (1970) förderte sensationell den Verkauf der Taschenbuchausgabe: während der Durchschnittsjahresabsatz von 1960 bis 1970 bei knapp 24 000 Exemplaren lag, wurden allein 1971 77 800 Exemplare ausgeliefert. Die deutschen Fernsehanstalten wollen im Jubiläumsjahr Verfilmungen von ›Tristan‹ und ›Unordnung und frühes Leid‹ zeigen.

ALS DAS LIEBSTE WERK von Thomas Mann erschienen mir in verschiedenen Lebensabschnitten auch verschiedene Werke.

a) ›Buddenbrooks‹ und ›Tonio Kröger‹ liebte ich am meisten in den 30er Jahren (da war ich noch Student), nachher auch noch ›Königliche Hoheit‹.

b) Dann aber wich alles der ›Lotte in Weimar‹, die noch im Kriege mir überaus lieb und wichtig blieb; damals wurde auch ›Der Zauberberg‹, der beim wiederholten Lesen mir neu und viel bedeutender als früher erschien, zeitweilig zum Mann-Buch No. 1.

c) ›Lotte‹ und ›Zauberberg‹ gehörten zu meinen am meisten geschätzten und wiederholt gelesenen Büchern im Lager, wo ich fast 10 Jahre nach dem Krieg verbrachte.

d) Den ›Doktor Faustus‹ und ›Felix Krull‹ konnte ich erst 1956 lesen und da hab ich den ›Krull‹ vor allem liebgewonnen.

e) Heute kann ich mich auch nicht auf den Singular beschränken und muß, um wahrheitsgetreu zu sein, wiederum einige Werke nennen: ›Lotte in Weimar‹, ›Felix Krull‹, ›Tonio Kröger‹, ›Zauberberg‹ und selbstverständlich auch die essayistischen Werke: Goethe-Aufsätze sowie die über Nietzsche, Wagner, Freud, ›Die Entstehung des Doktor Faustus‹.

Zuletzt las ich von Thomas Mann den Briefwechsel mit Heinrich Mann und in russischer Übersetzung die Josephsgeschichten.

Mit 20 oder 21 Jahren (1932–1933) begann ich, Thomas Mann deutsch zu lesen; russische Übersetzungen seiner Novellen ›Tristan‹, ›Der Tod in Venedig‹ las ich schon früher, noch auf der Schule.

Jeder wirklich gebildete junge Mensch sollte meines Erachtens ›Buddenbrooks‹, ›Zauberberg‹, ›Faustus‹, ›Krull‹, ›Lotte in Weimar‹, ›Tonio Kröger‹, ›Mario und der Zauberer‹, ›Tod in Venedig‹ lesen; und einer, der sich besonders für geschichtliche, philosophische und literaturtheoretische Probleme interessiert, müßte alle Novellen, ›Königliche Hoheit‹, ›Der Erwählte‹, ›Die Entstehung des Doktor Faustus‹ und die meisten Essays und selbstverständlich die ›Josephs‹-Romane lesen. Thomas Mann ist noch im Kommen in der Weltliteratur und in der globalen Geistesgeschichte; die Bedeutung seiner Werke wird noch wachsen von Generation zu Generation.

1922–1937   Gesammelte Werke (in Einzelausgaben)
             Berlin, S. Fischer 1922–1935, und Wien, Bermann-
             Fischer 1936–1937

             Aus den ersten 10 Bänden dieser Ausgabe setzt sich die
             1925 erschienene, bandweise numerierte Ausgabe

             Gesammelte Werke in zehn Bänden
             Berlin, S. Fischer 1925

             zusammen, die nur geschlossen abgegeben wurde.

1928   Die Erzählenden Schriften. Gesammelt in drei
             Bänden (Dünndruckausgabe)
             Berlin, S. Fischer 1928

1939–1965   Stockholmer Gesamtausgabe der Werke von
             Thomas Mann (in Einzelbänden)
             Stockholm, Bermann-Fischer 1939–1947; Amsterdam,
             Bermann-Fischer 1948; Wien, Bermann-Fischer 1949;
             Frankfurt/M., S. Fischer 1950–1965

1955   Gesammelte Werke in zwölf Bänden
             Berlin, Aufbau-Verlag 1955

1960   Gesammelte Werke in zwölf Bänden
             Frankfurt am Main, S. Fischer 1960

1967   Das erzählerische Werk. Taschenbuchausgabe
             in zwölf Bänden
             Frankfurt am Main, Fischer Bücherei 1967

1968   Das essayistische Werk. Taschenbuchausgabe
             in acht Bänden
             Frankfurt am Main, Fischer Bücherei 1968

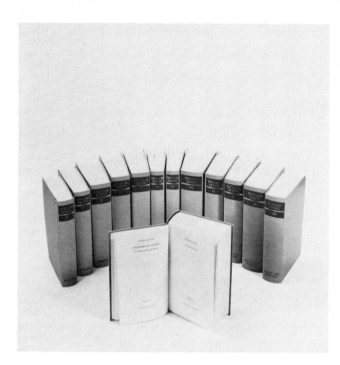

1974   Gesammelte Werke in dreizehn Bänden
        (= Unveränderter Nachdruck der Ausgabe von 1960,
        erweitert um einen Nachtragsband.)
        Frankfurt am Main, S. Fischer 1974

1974   Thomas Mann – Ton- und Filmaufnahmen.
        Ein Verzeichnis
        Zusammengestellt und bearbeitet von Ernst Loewy.
        Herausgegeben vom Deutschen Rundfunkarchiv.
        (Supplementband zu den ›Gesammelten Werken in drei-
        zehn Bänden‹.)
        Frankfurt am Main, S. Fischer 1974

DAS ERSTE MAL sah ich Thomas Mann an jenem Maitag in Stockholm, an dem er vom Selbstmord seines Sohnes Klaus erfuhr. Wir, die wir ihn sahen und trafen, erlebten ihn wie einen aus den ›Buddenbrooks‹; dieses unbewegliche Antlitz, dennoch von unsagbarer Trauer geprägt, bleibt für ein Leben lang in der Erinnerung. Es hätte schon sein können, daß er für Menschen, die sein Werk nicht kannten, erschütternd unbeteiligt wirkte. Für jene aber, denen seine Welt erschlossen war, konnte es gar nicht anders sein.

An diesem 24. Mai 1949 im Großen Saal der Stockholmer Börse ist für die, die dabei gewesen sind, ein Verhältnis besonderer Art zu Thomas Mann entstanden – vielleicht auch, weil uns Klaus Mann als einer aus unserer Generation, der sich selbst verloren hatte, so nahe war.

Von Thomas Manns Werken mag ich die ›Josephs‹-Tetralogie am meisten. Ich hatte Gelegenheit, drei Bände an drei verschiedenen Stellen in zwei Erdteilen und Sprachen zu besprechen.

Als letztes las ich von Thomas Mann ›Doktor Faustus‹, und angefangen, Thomas Mann zu lesen, habe ich vermutlich um 1920. Und welche Werke ein junger Mensch heute unbedingt kennen sollte? Am besten alle.

Die Gesamtausgabe der Werke Thomas Manns in dreizehn Bänden, erschienen im November 1974, umfaßt 12081 Seiten. Davon entfallen auf den bibliographischen Nachweis, die Editionsberichte, die Register und die Inhaltsverzeichnisse in Band XIII 279 Seiten, in Band XII nimmt der Apparat 10 Seiten ein, in Band XI 31 Seiten, in Band X 38 Seiten, in Band IX 8 Seiten. Von Thomas Mann stammen also 11715 Seiten.

Für den Druck von 11000 Exemplaren dieser Gesamtausgabe (5000 Exemplare Verlagsausgabe, 6000 Exemplare stehen zu einem späteren Zeitpunkt zwei Buchgemeinschaften zur Verfügung) wurden 92t Papier verwendet. Die 12081 Seiten Gesamtumfang ergeben 755 Bogen à 16 Seiten; vier Bogen machen einen Druckbogen aus, somit besteht jede Ausgabe aus 190 Druckbogen im Format 80x96 cm. Für die Gesamtauflage errechnen sich 11000x190 = 2090000 Druckbogen. Aufeinandergestapelt bilden diese Druckbogen bei einer Blatthöhe von 0,075 mm einen Turm von 157 m Höhe – beinahe das Ulmer Münster.

EINER DER denkwürdigsten Aufsätze Thomas Manns ist für mich sein Nachruf auf Thomas G. Masaryk. Mann schreibt: »Möge seinesgleichen, in welcher individuellen und nationalen Erscheinung nun immer, wieder auf Erden weilen, wenn eine europäische Konföderation nach ihrem gemeinsamen Oberhaupt Ausblick hält.« Heute, im vierten Jahrzehnt nach der Niederschrift dieses Aufsatzes, ist er – verborgen in einer dreizehnbändigen Ausgabe der ›Gesammelten Werke‹ – für viele Deutsche fast die einzige zugängliche Information über Masaryk, und mancher Reisende, der in Prag eintrifft, kommt an einem Bahnhof mit Namen »Praha-střed« an, der einmal Masaryk-Bahnhof hieß.

Thomas Mann findet an der Persönlichkeit Masaryks »so anziehend, so ehrwürdig-liebenswert«, daß hier einer Seele »Kampf, Tat und Größe… mehr vom Schicksal auferlegt worden, als eigentlich in ihrer Natur, ihrem Wunsch und Willen, begründet gewesen seien; daß die ursprünglich angeborene Neigung dieses Staatsgründers viel eher der reinen Erkenntnis, der freien Betrachtung gegolten habe und die politische Tatbindung, der Eingriff in die Geschichte hier der zarten Konstitution des Geistesmenschen abgewonnen sei«.

Höchsten Respekt zollt Thomas Mann dem Wahrheitsverständnis Masaryks und verweist in diesem Zusammenhang auf dessen Haltung im »Handschriftenstreit«, der ausbrach, als sich die angeblich 1817 aufgefundene »Königinhofer« und »Grünberger Handschrift« als Fälschungen zu erweisen schienen. Die beiden Manuskripte hatten als Zeugnisse für das hohe kulturelle Niveau der Slawen im Mittelalter gegolten. Dazu Masaryk: »Mir war die Frage der Handschriften vor allem eine moralische Frage: wenn es wirklich Fälschungen waren, so mußten wir das vor der Welt eingestehen. Unser Stolz, unsere Erziehung durften nicht auf einer Lüge beruhen. Und dann: wir konnten unsere Geschichte nicht richtig erkennen, solange wir über eine erdachte Vergangenheit stolperten.« Masaryk war damals noch Universitätsprofessor in Prag und Herausgeber einer kritischen Zeitschrift gewesen und hatte sich bei dieser Auseinandersetzung den Haß vieler seiner Landsleute zugezogen. Später, als Präsident, sagte er in einem Gespräch mit Karel Čapek: »Die Sittlichkeit und die Nützlichkeit der Wissenschaft bestehen darin, daß es einzig und allein, rein und streng um Erkenntnis geht, um die Wahrheit allein; aber jede Wahrheit ist oder wird einmal gut sein für das Leben... Die Wahrheit, die redliche Wahrheit, die wirkliche Erkenntnis kann niemals Schaden stiften.«

Thomas Mann schreibt: »Es muß ein großes Glück sein, unter einem solchen Staatsoberhaupt zu leben.«

Der Aufsatz wurde 1937 verfaßt, als die Qualitäten eines Thomas G. Masaryk bereits überlebt zu sein schienen. Thomas Mann war optimistischer. Masaryk, sagte er, sei »um hundert Jahre zu früh gekommen«.

Der Irrtum eines zu früh Gekommenen?

Fast unübersehbar ist die Zahl der kritischen Äußerungen zum Werk Thomas Manns – und sie wird sich 1975 um Hunderte von Nummern vergrößern.

Den umfangreichsten Überblick über die Sekundärliteratur zu Thomas Mann legte Harry Matter 1972 mit seiner zweibändigen Bibliographie (Aufbau-Verlag Berlin und Weimar) vor; darin sind etwa 15 000 Titel aus mehr als 30 Sprachen verzeichnet, insbesondere auch Forschungsergebnisse aus den sozialistischen Ländern.

Klaus W. Jonas veröffentlichte in Zusammenarbeit mit dem Thomas Mann-Archiv Zürich im Erich Schmidt Verlag Berlin 1972 ›Die Thomas-Mann-Literatur. Band I – Bibliographie der Kritik 1896–1955‹; eine Fortführung, die den Zeitraum von 1956 bis 1974 umfaßt, soll Ende 1975 erscheinen.

Das Werk von Jonas läßt dank seiner chronologischen Anordnung – erster Eintrag Richard von Schaukals Besprechung von ›Der kleine Herr Friedemann‹, 1896 in ›Die Gesellschaft‹ publiziert – die quantitative Entwicklung der Beschäftigung mit Thomas Mann aufzeigen:

227 Nummern – 1925, das Jahr des 50. Geburtstags
 76 Nummern – 1933
158 Nummern – 1945
608 Nummern – 1955, Todesjahr
247 Nummern* – 1960
393 Nummern* – 1965
197 Nummern* – 1970
247 Nummern* – 1971
203 Nummern* – 1972
325 Nummern* – 1973   * nach Manuskript gezählt

Thomas Mann hat, gelegentlich darauf angesprochen, wel-
chen künstlerischen Eindrücken er vor anderen den Vorzug
gebe, sein Unbehagen über die Frage ausgedrückt, sich dann
aber doch zu einem Votum bequemt. Dieser liebenswürdi-
gen Inkonsequenz verdanke ich z. B. eine Erwähnung, die
mir seinerzeit große Freude gemacht hat. Warum es ihm
also – in gebührendem Respektsabstand – nicht gleich-
tun?

Angesichts des Reichtums und der Vielgestaltigkeit dieses
Werks ist es allerdings schwer, ein einziges Buch zu favori-
sieren, und wer es dennoch tut, wird eingestehen müssen,
daß es nicht allein kunstkritische Motive sind, die den Aus-
schlag geben, daß vielmehr persönliche, vielleicht gar
stimmungsgebundene Beweggründe seine Wahl beeinflußt
haben.

So hat mich denn kaum ein anderer Roman in eine so frohe
und gelöste Bewegung versetzt wie ›Der Erwählte‹. Das
»gregorianische Thema« des Buchs war mir aus dem Kapitel
des ›Doktor Faustus‹ bekannt, in dem Adrian Leverkühn es
als Textvorlage für eine seiner kompromißlosen Komposi-
tionen verwendet. An dieser Stelle schien mir das Thema
befremdlich, trocken und unergiebig. Wie zauberhaft aber
sollte es sich entfalten, als die Phantasie, die sprachliche
Schöpferkraft und der distanzierende, parodische Witz des
Nachdichtenden es aus seiner Sprödigkeit befreiten und unter dem Schwall der ungezählten Glocken, die seine Wie-
dergeburt ankündigen, zum Blühen brachten!

Die erste Begegnung, die ich in jungen Jahren mit Thomas
Manns Prosa erlebte, war die Lektüre der Schillernovelle
›Schwere Stunde‹. Ich erinnere mich, daß ich unter diesem
Eindruck sogleich nach dem damals schon hochberühmten

›Zauberberg‹ griff. Die Impression der ersten Begegnung war noch lebendig, als ich Jahrzehnte später in Ergriffenheit die meines Wissens letzte, zu seinen Lebzeiten erschienene Publikation von Thomas Mann las, seinen ›Versuch über Schiller‹.

Was ich zuletzt gelesen? Aus gegebenem Anlaß – als ich kürzlich mit den Hörern meines Universitätskurses in Zürich ein Drama von Leo Tolstoi behandelte – las ich den umfangreichen Essay ›Goethe und Tolstoi‹.

Jungen Lesern, die sich für Thomas Mann interessieren, würde ich raten, als erstes seinen ersten Roman zu lesen. Nichts, so meine ich, wird die Lust nach einem neuen Trunk aus der gleichen Quelle so anregen wie ›Buddenbrooks‹.

»Unbedingt kennen« aber sollte jeder junge Mensch unserer Zeit den ›Briefwechsel‹, den Thomas Mann mit dem Dekan der philosophischen Fakultät der Bonner Universität führte, als ihm das Dritte Reich den Titel eines Ehrendoktors dieser Hochschule aberkannt hat.

THOMAS MANN

~~EIN~~ BRIEFWECHSEL
mit Bonn

Erste Lektüre war 1916 ein schmales Bändchen Erzählungen gewesen – sein Anblick genügt, um Jugendzeit, ach wie weit, heraufsteigen zu lassen: Kriegspapier, blaßgrüne Kartonierung, Jugendstilnachklang, der Leistenzinken. Die ökonomische Funktion der Taschenbücher war vorweggenommen, hatte den Gymnasiasten kauffähig gemacht. ›Schwere Stunde‹ riß sofort hin, und ›Das Wunderkind‹ schrieb sich von selber weiter: pubertäre Versuche, die den Übergang zur Literarhistorie als dezent erscheinen lassen.

Mit angehenden Studenten mußte ›Tonio Kröger‹ durchgepaukt werden bis zur Unlesbarkeit. Mit dem ›Faustus‹ wird man nicht so schnell fertig, im Gegenteil: bei erneuter Lektüre treten Details ins volle Licht; bewundernswert die hanseatische Zähigkeit und virtuose Beweglichkeit, mit der das gewaltige Mosaik zusammengefügt wurde, und doch bleibt ein Unbehagen: Der Künstler muß sich – das Grundthema Thomas Manns – vor dem Bürger verantworten, aber es wird ihm zu viel angelastet, die Gleichung Nietzsche/Schönberg und Naziterror geht nicht auf. –

Eine subjektive Reaktion? Subjektivität wird ja verlangt.

In diesem Sinne und so denn laufen für den vielleicht noch unreifen Leser im ›Zauberberg‹ alle Erzählfäden zusammen; die Früchte der zeitgenössischen europäischen Literatur werden dabei mit eingesammelt, und den ›Buddenbrooks‹ gegenüber ist eine metaphysische Dimension hinzugekommen, ohne daß das relativ knappe Phantasiematerial gedanklich überfrachtet würde.

Genußvolle Lektüre war im Frühjahr 1974 wieder einmal der ›Zauberberg‹, der – wie üblich – zu anderem hinlockte – zu den ›Essays‹, zu Teilen des ›Josephs‹-Romans, vor allem aber zu ›A la recherche du temps perdu‹. Prousts psychologische Sonde lotet oft tiefer, aber zu Ungunsten des erzählerischen Gleichgewichts. Hier ergeben sich Dialoge mit zwei Dichtern, deren Seins- und Gestaltungsweise dem Beginn des 20. Jahrhunderts aufs engste verquickt ist und es gültig repräsentiert.

Wie wird es im Jahr 2000 mit dieser Rolle bestellt sein? Kann selbst heute Jugend noch Spaß haben an den Sprachkünsten des hochstaplerisch-göttlichen ›Krull‹ oder gar am ›Erwählten‹ und seinen voltairanisch durchblitzten Passagen? Den Unsicherheitsfaktor stellt auch die Mathematik in Rechnung: für den literarischen Geschmackswandel gilt er noch viel mehr. Andererseits freilich haben die Computer eruiert, daß sich aus den 7 Noten der Tonleiter 12 452 Kombinationen zusammenstellen lassen. Man kann auf die gußeiserne Entschlossenheit der Literaturbeamten zählen, keine einzige der Kombinationsmöglichkeiten von Thomas Manns Werk ungenutzt zu lassen. Einmottende Betreuung oder fröhliche Urständ durch genuine Geister – wer will das voraussagen?

Fischers Bibliothek
zeitgenössischer Romane

Das Wunderkind

von

Thomas Mann

S. Fischer, Verlag
Berlin

beantwortete vier Fragen nach seinem Verhältnis zu Thomas Mann in Stichworten:
›Buddenbrooks‹ ist ihm das liebste Buch, zuletzt las er (aus Anlaß des Erscheinens der Hitler-Biographie von Joachim Fest) ›Bruder Hitler‹, ein Essay in ›Das neue Tage-Buch‹, Paris 1939; 1930 begann er mit der Thomas Mann-Lektüre, und nach seiner Meinung sollten junge Menschen heute von Thomas Mann unbedingt ›Buddenbrooks‹, ›Königliche Hoheit‹ und den ›Felix Krull‹ kennen.

Zwischen 1945 und 31. Dezember 1974 hat der S. Fischer Verlag (eingeschlossen die Auflagen des Bermann–Fischer Verlags im Exil) zum Vertrieb über den Buchhandel vom Werk Thomas Manns 2606700 Exemplare in gebundenen Ausgaben (Briefbände, Gesamt- und Schulausgaben eingerechnet) gedruckt, der Fischer Taschenbuch Verlag seit Gründung im Jahr 1952 bis 31. Dezember 1974 `3274500 Exemplare Thomas Mann-Taschenbücher.

In der Fülle der Thomas Mann-Literatur nehmen die biographischen und monographischen Darstellungen eine besondere Stellung ein, richten sie sich doch über den Kreis der Wissenschaftler hinaus an den *Leser,* sei er mit dem Gesamtwerk vertraut oder nur von einem einzigen Buch fasziniert.

»Diese Literatur«, schreibt Peter de Mendelssohn in seiner Geschichte des S. Fischer Verlags, »begann mit Arthur Eloessers ›Thomas Mann. Sein Leben und sein Werk‹, das zum fünfzigsten Geburtstag erschien, ein schmales, knappes, wohlkomponiertes Buch ... im Rückblick durchaus nicht das unwesentlichste.«

Gleich zwei Werke mit umfassendem Anspruch wurden 1974 in Frankreich und England publiziert:

›Louis Leibrich, Thomas Mann. Une recherche spirituelle‹ (Aubier-Montaigne, Paris) –

›T. J. Reed, Thomas Mann. The Uses of Tradition‹ (Oxford University Press).

Wie kein anderer ist Peter de Mendelssohn für die große erzählte Thomas Mann-Biographie gerüstet. 1908 in München geboren (zwei Jahre nach Klaus, ein Jahr vor Golo Mann) kannte er die Familie von Kindesbeinen an und steht bis heute mit ihr in engstem Kontakt. Ein homme de lettres europäischen Zuschnitts ist ihm der literarische Bestand so vertraut wie die politischen und kulturhistorischen Verknüpfungen; seine Essay-Sammlungen (u. a. ›Der Geist in der Despotie‹), seine Romane und seine mächtige Darstellung von 1970 ›S. Fischer und sein Verlag‹ weisen seine Kennerschaft, seine Beherrschung großer Stoffmassen und seine Kunst der übersichtlichen, lebendigen Darstellung aus.

Peter de Mendelssohn macht aus der auf zwei Bände ange-
legten Dichterbiographie
›Der Zauberer. Das Leben des deutschen Schriftstellers
Thomas Mann‹ (Erster Teil 1875–1918, Frühjahr 1975)
sein Lebenswerk; aus erstaunlichen Funden und Entdek-
kungen – so hat er erstmalig Thomas Manns Notizbücher
voll ausgewertet – werden erstaunliche Schlüsse gezogen,
aus dem unübersehbar reichen konkreten Material entsteht
das Bild des Menschen, des Künstlers Thomas Mann in den
Spannungsfeldern seiner Epoche. Hier verbinden sich de-
tektivischer Spürsinn, analytisches Vermögen und die Kraft
epischer Bewältigung in einem beispielhaften Werk der biographischen Literatur.

Thomas Mann gehört natürlich zu den großen Figuren der europäischen Literatur des 20. Jahrhunderts. Sein Werk ist ein Gegenstück zu dem Prousts; beide vertiefen unsere Kenntnis des Daseins. ›Auf der Suche nach der verlorenen Zeit‹ betont mehr das Psychologische, ›Der Zauberberg‹ mehr das Metaphysische. Proust erkundet die Zeit, Thomas Mann hebt uns in einem Akt der Überwindung auf die Ebene der Zeitlosigkeit.

MEINE ERSTE BEGEGNUNG mit Werken von Thomas Mann liegt weit zurück. Ich war sehr jung, als ich ›Tonio Kröger‹ las, entsinne mich aber sehr gut an den tiefen Eindruck, den diese Erzählung auf mich machte. Die Problematik des musisch-intellektuellen Außenseiters, seine Auseinandersetzung mit der Einsamkeit, des schmerzhaften Wunsches nach der Welt der »Heiteren, Unkomplizierten«, kennzeichnete in großen Zügen schon damals etwas, was heute unter den modischen Begriff Nostalgie fällt und im Grunde nichts anderes ist als die melancholische Sehnsucht jedes Individualisten nach Unerfüllbarkeiten des Lebens.

Später habe ich mich mit vielen seiner größeren Werke vertraut gemacht. Immer wieder bewundere ich sein großes Wissen, den Reichtum seiner unnachahmlichen Formulierungskunst in der deutschen Sprache, die er souverän beherrscht wie der beste Musiker sein Instrument.

Der Aufgabenbereich eines Schriftstellers ist ein ganz anderer als der eines Regisseurs. Dennoch bieten sich Parallelen an. Ich habe viel gelernt von Thomas Manns Meisterschaft in der Beobachtung von Menschen und Situationen, seiner Sensibilität im Erspüren feinster psychologischer Zusammenhänge, seiner Liebe zum Detail.

Sollte ich jemals Schönbergs ›Moses und Aaron‹ inszenieren, wäre mir die konturenreiche Schilderung dieser beiden Figuren in der Novelle ›Das Gesetz‹ für die szenische Verdeutlichung ihrer Charaktere von unschätzbarem Wert.

Thomas Mann verdanke ich auch die Brücke zu dem gewaltigen Werk Richard Wagners, dem ich mit vollem Bewußtsein erst relativ spät begegnet bin. Seine Formulierung, daß das Werk Wagners durch die beiden Komponenten »Mythos und Psychologie« bestimmt ist, hat mir den Zugang zu den ungeheuren, verflochtenen, beziehungsreichen Strukturen eines Werkes wie dem ›Ring des Nibelungen‹ erleichtert und es ermöglicht, auch die psychologischen Erkenntnisse Thomas Manns in szenische Anschaulichkeit umzusetzen.

Einem jungen, literarisch interessierten Menschen, der noch nichts von Thomas Mann kennt, würde ich die Lektüre von ›Doktor Faustus‹ nahelegen. Dieses, von ihm schon in jugendlichen Jahren erahnte Thema wurde, beeinflußt durch die Emigration und den Schmerz über das Hitler-Deutschland, zu einem gigantischen Spätwerk von künstlerischer Hochform. Leidenschaftlich geschrieben, in seiner Vielschichtigkeit weit in unsere Zeit hineinreichend, gestaltet es in breiter Anlage das Problem des »Deutschen« und müßte einen gebildeten jungen Menschen in unserem Lande anrühren und seine Neugierde und Aufgeschlossenheit wecken für das Gesamtwerk Thomas Manns, den ich persönlich unter den deutschen Schriftstellern als den bedeutendsten Repräsentanten der ersten Hälfte unseres Jahrhunderts ansehe.

ALS ICH die Aufforderung bekam, etwas über mein Verhältnis zu Thomas Mann zu sagen, erschien mir nichts leichter
als das. Ich glaubte, dieses mein schon über vier Jahrzehnte
dauerndes (gespanntes) Verhältnis genau zu kennen. Als
ich daranging, darüber zu schreiben, merkte ich, daß ich
mich damit in etwas einließ, das ich durchaus nicht in weni-
gen Sätzen sagen kann. Es liegt nicht nur an mir selber, an
der vorsichtigeren Stellungnahme der Ältergewordenen,
wenn ich meine bisherige Meinung zwar nicht verleugne,
sie aber mit Fragezeichen versehe. Es liegt ebenso an der
Komplexität des Phänomens Thomas Mann. Was ich jetzt
sagen werde, muß in diesem Sinne verstanden werden. Es
muß in einem ungeschriebenen Kontext gelesen werden.
Ich will es aber so sagen, wie ich es bisher gedacht hatte, und
ich sage es auf die Gefahr hin, für einfältig oder präpotent
gehalten zu werden: Mein Verhältnis zu Thomas Mann ist
ein langes.

In meiner alten Ausgabe der ›Buddenbrooks‹ steht mein
Name und daneben die Jahreszahl 1929. Achtzehn Jahre war
ich also alt, als ich das erste Buch von TM las. Vorher hatte
ich, außer der schulischen Pflichtlektüre, nur Hölderlin und
Dostojewski gelesen. Solche Dichtung setzt Maßstäbe. Als
ich sie an die ›Buddenbrooks‹ anlegte, erschien mir das Buch
ein Unterhaltungsroman, von dem ich »nichts hatte«. Wie
TM die Welt sah, erschien mir so, wie einer sie sah, der noch
daran glaubte, daß die Erde eine Scheibe sei. Aber ich war
wohl auch fasziniert von seinem Stil, denn ich hörte fortan
nicht auf, alles zu lesen, was TM veröffentlichte. Fast nie
(außer in den Essays) interessierte mich der Stoff, immer er-
regte mich der Stil. Daß eine Achtzehnjährige keinen Sinn
für ironische Distanz hat, ist natürlich. Ich habe aber auch

heute keinen rechten Sinn dafür, oder doch nur in einem schmalen, intellektuell-literarischen Teil meiner Person. Mein Verhältnis zum Leben ist ein zu unmittelbares, ein zu ursprünglich religiöses, als daß ich ein cerebral unterkühltes, ironisches für angemessen halten könnte. Daß TMs Ironie nicht einfach ein Stilmittel ist, sondern eine menschliche Attitüde, fühlte ich sehr früh. Ich mochte sie nicht, ich mag sie heute weniger denn je, obgleich ich sie verstehe. Die Lektüre des Tagebuchs zum ›Faustus‹ und die Autobiographie Klaus Manns halfen mir viel zum Verständnis. Aber dennoch erscheint mir ironische Distanz zum Leben als eine hochmütige Flucht, eine Erklärung der Unfähigkeit zu identifizierender Liebe, als eine Art stiller Neurose. TMs Ironie verstehe ich als eine zwar nicht recht stabile, aber immerhin abschirmende Umzäunung, die einem müden, verletzbaren, sich besonders in späteren Jahren selbst überfordernden Menschen einigen Schutz gewährte. Dies verstehend, wird meine Haltung zu TM respektvoll: da hat einer ein Leben geleistet, das gleich dem seiner Epoche unter dem Zeichen des Endes, des Untergangs stand.

Als ich so weit geschrieben hatte, fiel mir ein, im Tagebuch zur Entstehung des ›Faustus‹ nachzuschauen, was dort über Ironie, Humor, Parodie stand, und ich fand den Satz über die »Bemühung, das Dämonische durch exemplarisch undämonische Mittel gehen zu lassen«. Diesen Satz überdenkend, wurde mir klar, daß ich jetzt das ganze Werk TMs von neuem lesen müßte, um zu wissen, wie diese Aussage zu meinem frühen und bleibenden Urteil über das Neurotische bei TM stimmt. Hier muß ich innehalten, denn nun begänne die Arbeit einer genauen Analyse, die zu leisten ich nicht fähig bin, außer ich gäbe Jahre an diese Arbeit.

Ich gebe statt dessen einiges Anekdotisches wieder, das mir zu beweisen scheint, daß mein Verhältnis zu TM ein nicht nur literarisches ist. Nach dem Krieg schrieb ich bei irgendeinem Anlaß, daß ich TM für einen ganz großen Schriftsteller hielte, aber nicht für einen ebenso großen Dichter. Daraufhin schrieb mir TM einen vier Seiten langen Brief (mit der Hand), in dem er mich wie ein Schulkind abkanzelte, er war persönlich beleidigt. Daß er sich von einer unbekannten jungen Journalistin beleidigt fühlen konnte, erschien mir sonderbar. Mich quälte diese Mißstimmung lange, und ich versuchte immer wieder, mein Urteil zu revidieren.

Als ich ihn Jahre später in einem kleinen Kreis persönlich kennenlernte, wollte ich auf unseren Briefwechsel anspielen. Aber er ließ mich nicht dazu kommen. Als er meinen Namen hörte, ergriff er meine Hand, hielt sie fest und sagte: »Sie haben so schön über meinen armen Klaus geschrieben, ich danke Ihnen.« Dabei lief eine einzelne Träne aus seinem Auge und rann ganz langsam über die Wange. (Ich hatte einen Nachruf auf Klaus Mann geschrieben.)

Sehr sonderbar aber muß mir mein Verhältnis zu TM erscheinen, wenn ich einen Traum bedenke, den ich in meinem »Traumbuch« unter dem Datum 31. Juli/1. August 1949 notierte:

Ein Raum mit vielen Rosen, die ich sortierte. Ich finde einen herrlichen Kamelienzweig mit großen Blüten. Ich zeige ihn Thomas Mann, der im Raum ist. Er zeigt mir dafür ein Notenblatt, das statt fünf Linien nur vier hat und statt der Notenköpfe Zahlen. Ich versuche das zu singen, es ist mir zu schwer, ich will ans Klavier gehen, es mir vorzuspielen. »Nein«, sagt TM, »was denken Sie! So einfach macht man es sich nicht. Sie müssen es von diesem Blatt weg singen!«

(Ich hatte damals keine Ahnung von Zwölftonmusik noch auch vom ›Doktor Faustus‹.) »So einfach macht man es sich nicht«, sagt TM im Traum zu mir, er meinte wohl das Schreiben, die Schriftstellerei, die Kunst. Ich möchte es mir aber auch mit meinem Urteil über ihn, vielmehr über mein Verhältnis zu ihm nicht zu leicht machen und setze darum hinter alles Gesagte erneut ein Fragezeichen, das aber nicht bedeuten soll, daß ich es mir mit diesem Fragezeichen wiederum leicht machen möchte.

P.S.
Wenn ich von jungen Menschen gefragt werde, welches Werk TMs sie lesen sollten, sage ich: Den Essayband ›Leiden und Größe der Meister‹. Ich selber lese immer wieder darin. Für mich ist der Essay über Schopenhauer nicht nur an sich von unüberbietbarer Qualität, sondern auch ein Maßstab für das literarische Genre Essay, und eine stetige Mahnung zur Genauigkeit in der eigenen Arbeit, und das heißt denn doch nichts anderes, als daß TM in meinem Leben eine größere Rolle spielt, als ich zu meinen geneigt bin.

Die Thomas Mann Gesellschaft in Zürich wurde am 12. 8. 1956 gegründet; ihr erster Präsident war Max Rychner. Ihm folgte Robert Faesi; gegenwärtig sind im Vorstand u. a. Erwin Jaeckle, Leopold Lindtberg, Werner Weber. Von den ›Blättern der Thomas Mann Gesellschaft‹ sind bisher vierzehn Nummern erschienen, die vorwiegend unbekannte Briefwechsel zugänglich machten.

ALS ERSTES BUCH von Thomas Mann las ich – noch in Berlin – ›Buddenbrooks‹; als letztes ›Doktor Faustus‹; und zwischen diesen viele andere Bände mit immer wachsender Anteilnahme.

Ich bin stolz, diesen großen und noblen Schriftsteller persönlich gekannt zu haben. Seine Liebe zur Musik befestigte und intensivierte natürlich unsere freundschaftlichen Beziehungen.

WIE SCHWER IST ES, über jemanden zu schreiben, den man liebt, wenn man nicht die Talente von Thomas Mann hat. Und wie geradezu hoffnungslos ist das Unterfangen, wenn man über Thomas Mann schreiben möchte.

Ich will aber alle meine Bedenken beiseite schieben und froh sein, einmal sagen zu können, mit welcher Anhänglichkeit ich an Thomas Mann denke.

Ich hatte das Glück, ihn einmal auch persönlich kennenzulernen. Er kam im November 1952 nach Frankfurt, um im Städtischen Schauspielhaus den wundervollen Vortrag über Gerhart Hauptmann zu halten. Ich hatte auch etwas zu dieser festlichen Vormittagsstunde beigetragen: wir spielten mit einem kleinen Orchester, wenn ich mich richtig erinnere, eine Bach-Suite. Danach wurde ich ihm vorgestellt, und er fand einige reizende Worte über unseren bescheidenen Beitrag und sprach einige erstaunliche Sätze über Bach und den Kontrapunkt.

Ich war schon vor dieser Begegnung ein begeisterter Anhänger Thomas Manns gewesen, und es vergeht kein einziger Sommer, wo ich ihn nicht in meinen Ferien lese – natürlich ›Doktor Faustus‹, aber auch ›Joseph und seine Brüder‹ und die Novellen, unter denen mein Liebling ›Unordnung und frühes Leid‹ ist.

Er hat mir mehr Freude und Trost gegeben als alle anderen Dichter, und ich bin glücklich, daß ich in diesen paar Sätzen meine liebe Anhänglichkeit an Thomas Mann ausdrücken kann.

beantwortete einige Fragen nach seinem Verhältnis zu
Thomas Mann in Stichworten:
›Doktor Faustus‹ ist ihm das liebste Buch; ›Lotte in Weimar‹
las er zuletzt, und als Fünfzehnjähriger begann er die Thomas Mann-Lektüre mit dem ›Zauberberg‹.

»Ich beklage Sie, daß Sie es mit einem Autor zu tun haben, der nie
zur rechten Zeit zur Stelle ist und immer endlos warten läßt, –
wenn ich an die ›Lotte‹ denke und gar an ›Joseph‹ IV, so wird mir
schwach. Aber was soll man machen, so bin ich nun einmal. Die
Sachen müßten dafür wohl noch besser sein. Aber eben daß ich sie
so gut mache, wie ich kann, ist die Ursache des Leidens. Schopenhauer definierte die Tapferkeit als Geduld. Seien wir tapfer!«
          Thomas Mann an Gottfried Bermann Fischer

Das Buch, von dessen ungewöhnlichem Umfang der Verleger »nicht gerade sehr entzückt« war, erschien im Oktober 1901 in zwei Bänden mit einer Erstauflage von 1000 Exemplaren zum Preis von Mark 12,– geheftet und Mark 14,– gebunden. Anfang 1903 kam die einbändige Ausgabe mit einer Erstauflage von 2000 Exemplaren heraus, Preis geheftet Mark 5,–, gebunden Mark 6,–. Im Oktober desselben Jahres hatte die Gesamtauflage bereits 10000 Exemplare überschritten, 1919 100000 Exemplare, 1929 185000 Exemplare. 1929 brachte S. Fischer eine preiswerte Ausgabe für Mark 2,85 mit einer Erstauflage von 150000 Exemplaren heraus; im gleichen Jahr folgten 11 weitere Auflagen à 50000 Exemplare, und im Dezember 1930 wurde die 1000000-Grenze der Volksausgabe überschritten.

Auch nach dem Zweiten Weltkrieg wurden die ›Buddenbrooks‹ innerhalb der ›Stockholmer Gesamtausgabe‹ und als preiswerte Sonderausgabe veröffentlicht, Gesamtauflage beider gebundenen Ausgaben 2750000 Exemplare.

1960 erschienen die ›Buddenbrooks‹ zum ersten Mal als Taschenbuch bei Fischer in der Reihe ›Exempla Classica‹ zum
Preis von DM 4,80; 1965 wurde der Titel ins allgemeine
Programm übernommen. Gesamtauflage des Taschenbu-
ches 440000 Exemplare bei folgender Teil-Absatzkurve:

1965:	37923 Exemplare	1970:	16990 Exemplare
1966:	23068 Exemplare	1971:	18858 Exemplare
1967:	23588 Exemplare	1972:	20289 Exemplare
1968:	18650 Exemplare	1973:	23404 Exemplare
1969:	17812 Exemplare	1974:	23743 Exemplare

In den dreißiger Jahren erschienen die ›Buddenbrooks‹ bei
der Deutschen Buchgemeinschaft mit mindestens 120000
Exemplaren; nach 1945 bei sämtlichen Buchclubs mit

ca. 700000 Exemplaren; die ›Buddenbrooks‹ sind also
deutsch in mindestens 4010000 Exemplaren verbreitet.
Außerdem existieren von den ›Buddenbrooks‹ fremdspra-
chige Ausgaben in 32 Ländern, zuletzt in Cuba (1970).

beantwortete einige Fragen nach seinem Verhältnis zu Thomas Mann in Stichworten:

›Doktor Faustus‹ ist ihm das liebste Buch; ›Lotte in Weimar‹ las er zuletzt; ›Felix Krull‹, ›Doktor Faustus‹, ›Lotte in Weimar‹, ›Der Zauberberg‹ und vielleicht ›Der Tod in Venedig‹ und ›Die Betrogene‹ sollten nach seiner Meinung alle nachdenklichen Leser kennen, ob jung oder alt oder in den besten Jahren.

Zwei Thomas Mann-Sonderhefte der ›Neuen Rundschau‹. Die im Juni 1945 zum 70. Geburtstag erschienene Nummer bedeutete den Wiederbeginn der 1890 unter dem Titel ›Freie Bühne für modernes Leben‹ gegründeten Zeitschrift nach dem Zweiten Weltkrieg; ein Faksimilenachdruck erscheint im Frühjahr 1975.

Immer wenn ich an meinen Thomas Mann-Vorrat denke, bekomme ich Lust, meine Antwort auf einen späteren Zeitpunkt zu verlegen; nach meinen Sommerferien beispielsweise, ich würde dann endlich tun müssen, was ich schon immer sowieso tun will und wozu ich doch immer wieder nicht komme – zum Wiederlesen. Zumindest die Stockholmer Ausgabe mit den Erzählungen würde ich mitnehmen. Jetzt werde ich es vielleicht nicht tun, ich würde womöglich meine zu ungründlichen Antworten hier bereuen.

Schon bei den Erzählungstiteln fällt mir mein Wiederholungsbedürfnis auf. Woran ich mich allerdings gut erinnere, ist, unter den kürzeren Prosatexten, ›Unordnung und frühes Leid‹, das habe ich bestimmt mehrmals gelesen. Aber was würde ich beim dringend erwünschten Nachlesen noch alles erwähnen? Ich weiß es jetzt nicht, da sind ungenaue Erinnerungen und zugleich Hoffnungen. Sowieso würde ich das »liebste Werk« aber schwer nennen können. Meine Thomas Mann-Lesezeit liegt sicher über 20 Jahre oder mehr zurück. Auch den ›Zauberberg‹ wollte ich in Abständen immer mal wieder lesen. Warum komme ich bloß nicht zu meinen eigenen Bedürfnissen.

Ich war vielleicht erst 16 (oder so was in der Nähe dieses Alters), als ich z. B. die ›Buddenbrooks‹ las, das war eine Art von Lesen, zu der man gewöhnlich »verschlingen« sagt, diese Art von Lesen, die später und jetzt bei mir eigentlich gar nicht mehr vorkam, vorkommt; man liest, vor allem, wenn man selbst jemand ist, der schreibt, viel weniger unbefangen, leider, nicht so »unschuldig«.

Und ich würde keinen Zwang auf »einen jungen Menschen« ausüben wollen, ich sage sowieso keinem: das oder das mußt du unbedingt lesen. Befragt, würde ich schon sagen:

fang mal an mit den ›Buddenbrooks‹ oder mit Erzählungen oder mit dem ›Zauberberg‹. Zum Anfangen mit ›Felix Krull‹ oder ›Doktor Faustus‹ usw. würde ich schon nicht raten, zur Beschäftigung mit Thomas Mann allerdings mit Nachdruck.

»Wo sind wir? Was ist das? Wohin verschlug uns der
Traum? Dämmerung, Regen und Schmutz, Brandröte des
trüben Himmels...« Gemeint ist ja »das Flachland, der
Krieg«, gemeint ist bekanntlich Hans Castorp, der »gutmü-
tige Sünder«, und seine Feuertaufe. Warum erschreckte es
mich, als eine Frau, die mir nahesteht, mir neulich sagte, gerade Thomas Mann habe ihr, der damals Achtzehnjährigen,
geholfen, Auschwitz zu überstehen? Gerade einen Satz aus
dem Schluß des ›Zauberberg‹ habe sie sich zu eigen gemacht: Es ist nicht so wichtig, ob er überlebt. – Von der Ein-
sicht durchdrungen, man dürfe sich nicht so wichtig nehmen, habe sie ruhig – sie sagte: ruhig – im Waschraum auf
die feinen Öffnungen der Duschen blicken können: Was
kommt – Wasser oder das Gas?
Diesen Satz konnte es bei Thomas Mann nicht geben, und
das wußte sie natürlich inzwischen auch. Gemeinsam such-
ten wir die Sätze, die sie sich für ihren Zweck zurechtge-
macht hatte: »Fahr wohl – du lebest nun oder bleibest!
Deine Aussichten sind schlecht... und wir möchten nicht
hoch wetten, daß du davonkommst. Ehrlich gestanden, lassen wir ziemlich unbekümmert die Frage offen.«
Es ist ja wahr: Einigermaßen kühl entläßt der Erzähler diesen Castorp, nachdem er seinen Absichten vollkommen ge-
dient hat, ins Chaos der Materialschlacht. Er selbst nämlich,
»schamhaft in Schattensicherheit«, teilt diese letzte äußerste Erfahrung nicht mit seiner Figur. Der »Geist der Erzählung« habe ihn »dahergeführt«, entschuldigt er sich, was
nichts anderes heißen kann als rigorose, rücksichtslose Be-
rufsneugier. Unnötig zu sagen, daß es seitdem Orte gibt, die
dem Geist der Erzählung von Grund auf widerstehen und
dem Erzähler, der vielleicht im Traum, nicht aber in Wirk-

lichkeit in sie verschlagen war, das Erzählen durchaus ver-
bieten.

Erschreckt aber, tief beunruhigt hat mich der verkehrte Ge-
brauch, den ein an humanistischer Literatur erzogenes jüdi-
sches Mädchen an solchem Ort von seiner Bildung machen
muß: Unter der Brandröte dieses trüben Himmels muß ein
über Jahrhunderte hin verfeinertes inniges Interesse am
einzelnen, an seinem Leben und Handeln in sein Gegenteil
umschlagen, in rigoroses Desinteresse an sich selbst als Be-
dingung des – auch geistigen – Überlebens. Der einzelne ist
nicht so wichtig.

Falls diese Geschichte eine artikulierbare Lehre enthält, so
gewiß nicht die, daß der Erzähler seine Aufmerksamkeit
dem einzelnen zu entziehen habe. Eher schon eine andere:
Er habe zu Verhältnissen beizutragen, die das Interesse des
einzelnen an sich selbst und seinesgleichen hervorbringen
und benötigen.

*Die Thomas-Mann-Gesellschaft in Lübeck wurde im Jahre 1965
gegründet. Der erste Vorsitzende der Gesellschaft ist Dr. med.
Ulrich Thoemmes.
Die Gesellschaft gibt zum Hundertjährigen Geburtstag Thomas
Manns eine Festschrift heraus unter dem Titel*

*Thomas Mann
geboren in Lübeck*

Wᴇɴɴ ɪᴄʜ ɢᴇꜰʀᴀɢᴛ ᴡᴇʀᴅᴇ, zu welcher Zeit meines Lebens mich Thomas Manns Schaffen am stärksten beeindruckt, beeinflußt, ja geradezu umgewühlt hat, so sage ich ohne weiteres: zwischen 13 und 16, und zwar durch ein Buch, das ich aus dem verschlossenen Bücherschrank meiner Eltern (ich kannte das Schlüsselversteck) nahm und merkwürdigerweise heute wieder in der gleichen Ausgabe besitze: ›Der kleine Herr Friedemann‹, Novellen, Berlin 1898.

Ich hatte die Stationen Eichendorff, Heine, Mörike, ja Hebbel und Ibsen schon hinter mir, natürlich durch Geheimlektüre und nicht durch die Anleitung meiner Lehrer. Nun drängte es mich mit einer unersättlichen Begier zu dem, was man damals »die Moderne« nannte, und wenn man bedenkt, welch ungeheure Fülle grandioser Literatur sie dem jungen Leser dieser Zeit zu bieten hatte, von den großen Lyrikern bis zu ›Frühlings Erwachen‹, von den Skandinaviern und Russen bis zu d'Annunzio und Anatole France, so bleibt es doch erstaunlich, in welchem Maß, fast Unmaß, ›Der kleine Herr Friedemann‹ von mir Besitz ergriff, so daß ich lange Zeit nur in seinem Stil dachte, schrieb und sprach.

Will ich das heute erklären, so kann ich es nicht vom Inhalt her, nur vom Stil, von der unverwechselbaren künstlerischen Eigenart des Erzähltons, wie er sich gerade in diesen kleinen Meisterwerken, stärker noch als in ›Buddenbrooks‹ und später gipfelhaft im ›Tod in Venedig‹, ausprägte.

Man findet eine so völlig unverwechselbare Eigenart des Ausdrucks, man kann auch sagen: der Melodie, in Kongruenz mit dem stofflich und geistig Dargebotenen sonst eigentlich nur bei Komponisten.

Der unbezwingliche Reiz für den jugendlichen Leser lag in der Kühle, ja Kälte, ja Grausamkeit einer tief ernsten Ironie, eines Humors, der kein Erbarmen kennt und der die Erbarmungslosigkeit des Lebens, wie sie jeder junge Mensch ahnt, bis in die innersten Fasern durchschaut.

Diese Melodie des manchmal als »trockenen Schriftsteller« verkannten Dichters Thomas Mann ist dem Eros entsprungen und mündet zwangsläufig in den Tod.

Glück, sofern nicht in der vorübergehenden Selbsttäuschung einer matten Resignation, ist dem Tode beigesellt, ja unmittelbar von ihm begleitet, als Triumph einer unbezwingbaren Willensmacht. Doch ist die Todeserscheinung hier nicht in den lockenden Fackelganz eines rilkeschen Cornet gehüllt. Nicht der zerrissene Dionysos des Tragikers Nietzsche, nicht Richard Wagners festliche Untergangsgloriole sprechen uns hier an. Der Tod des kleinen Herrn Friedemann, wie später Aschenbachs, hat bei aller Verzweiflung einen leisen Zug oder Hauch des Lächerlichen und tritt uns um so unerbittlicher entgegen. Hier ist kein Platz für Mitleid, auch nicht für irgendwelche Rührung. Es ist die gleiche distanzierte Ironie, wie sie die Lebenden, durch rhythmische Wiederholung gewisser komischer Züge, kennzeichnet. Ein realistischer Scharfblick, ins Musische gesteigert: das ist es vermutlich, was den jungen Leser bis zur Identifikation überwältigt.

In jenem Band meiner Eltern hatte ich den letzten Satz auf der zweitletzten Seite des ›Bajazzo‹ mit Bleistift unterstrichen: »Was mich betrifft, – ich bin verloren.«

Ich gefiel mir darin, ja ich glaubte daran. Gottseidank habe ich mir's später, oder hat sich's das Leben für mich, anders überlegt. Doch gehörte die Kunde des jungen Thomas Mann von der Unzulänglichkeit und Größe der menschlichen Seele zu meiner Erziehung.

66

THOMAS MANN begann ich zu lesen, als ich, bei Studienbe-
ginn, die Kultur des *citoyen* und *bourgeois* näher kennenlernte. Die Universität war zwar, da in Leipzig liegend, for-
mal proletarisch-sozialistisch, doch auf weite Strecken bür-
gerlich. Hans Mayer dozierte über Thomas Mann, ich nahm
mir den lieber selber vor. Im Jahre 1956 sah ich mich dann in
einige politische Unruhe gestürzt, welche bis zum heutigen
Tage anhält, was der Thomas Mann-Lektüre hinderlich ist.
Ich mag Autoren mit großem Erzähllatem nur in ruhigen
Zeiten lesen. Möglicherweise eine individuelle Besonder-
heit. Unvergeßlich bleibt mir der ›Zauberberg‹, vielleicht
aus ganz unkünstlerisch-prosaischen Gründen; ich lag einmal mit jener Krankheit lange im Sanatorium, so was kon-
ditioniert die literarischen Kriterien... Überhaupt ist mir
Mann Thomas lieb und unvergeßlich, er hatte ja auch Söhne, gern nehme ich immer mal wieder Klaus Manns ›Wen-
depunkt‹ zur Hand; der Schiller-Rede des Vaters zum 150.
Todestag des Dichters erinnere ich mich lebhaft, das war
Weimar 1955, die Westdeutschen verübelten Thomas
Mann den DDR-Auftritt, und hier, in Jena wie Weimar,
sonnte Johannes R. Becher sich im kulturellen Weltruhm,
abends aber stiegen Lukács und Bloch, Becher und Mann
durch die alten Gassen, Klassik und Expressionismus gingen
Arm in Arm, Bloch und Lukács umfingen einander brüder-
lich. Sie hatten sich, nach Jahrzehnten, wiedergetroffen.
Thomas Mann wurde des Abends am Tisch ganz der, als den
ihn die Erzählungen von Töchtern, Söhnen, Freunden und
Bekannten schildern, ein höflich-zuvorkommender, be-
scheidener Mensch, jetzt als älterer Herr verkleidet, gedul-
diges Lächeln bereitend den Fragern, langmütig Antwort
gebend, völlig unprätentiös, gütig, verstehend. Romanciers

und Geschichten-Fabulierer zeigen Aufnahmebereitschaft für Weltekel oder Weltwut der anderen, mehr als diese zu träumen wagen. Erzählen heißt verstehen.

Es ist jetzt nicht die beste Zeit, Thomas Mann zu lesen; doch sollte man nicht warten auf bessere Zeiten. Wer weiß denn, ob die noch kommen können.

Schutzumschlag nach einer Radierung von Max Liebermann aus dem Jahr 1925.

7–9   Kurt Batt – geboren 1931, gestorben im Februar 1975, Cheflektor des Hinstorff Verlags in Rostock. Schrieb eine Studie über Anna Seghers. Bei S. Fischer erschien 1974 ›Die Exekution des Erzählers. Westdeutsche Romane zwischen 1968 und 1972‹.
Erste Anzeige der ›Buddenbrooks‹ in einer Verlagsankündigung von 1901.

10–11   Jurek Becker – geboren 1937, lebt als Schriftsteller in Berlin (DDR). Charles-Veillon-Preis 1971. Veröffentlichte die Romane ›Jakob der Lügner‹ (1969) und ›Irreführung der Behörden‹ (1971).
Umschlagzeichnung zu ›Der Erwählte‹ (S. Fischer, 1959).

12   Pierre Bertaux – geboren 1907, École Normale Supérieure, Germanist, 1949 Directeur Général der Sûreté Nationale, 1958 Professor in Lille, seit 1965 an der Universität Paris. 1970 erschien dt. ›Hölderlin und die Französische Revolution‹. TM porträtierte den 19jährigen in ›Pariser Rechenschaft‹.

13   Benjamin Britten – die bekanntesten Opern des 1913 geborenen englischen Komponisten sind ›Peter Grimes‹ (1945), ›Billy Budd‹ (1951), ›Sommernachtstraum‹ (1960). Die Uraufführung der Oper ›Der Tod in Venedig‹ nach dem Libretto von Myfanwy Piper fand im Juni 1973 im Rahmen des Aldeburgh-Festivals statt.
Zeichnung von Alfred Hrdlicka aus der illustrierten Ausgabe von ›Der Tod in Venedig‹ (S. Fischer, 1973).

14   Günter de Bruyn – geboren 1926, lebt als Schriftsteller in Berlin (DDR). Seine Romane ›Buridans Esel‹ und ›Preisverleihung‹ erschienen 1968 und 1972.
Zeichnung von Erich M. Simon aus der illustrierten Ausgabe von ›Tonio Kröger‹ (S. Fischer, 1914).

15   Lawrence Durrell – 1912 geborener englischer Schriftsteller irischer Abstammung. Als wichtigste Werke gelten die Romane seines Alexandria-Quartetts ›Justine‹ (dt. 1958), ›Balthazar‹ (dt. 1959), ›Mountolive‹ (dt. 1960), ›Clea‹ (dt. 1961).

17   Eine von ca. 4100 Manuskriptkarten des Bandes I des Werks ›Die Briefe Thomas Manns. Regesten und Register‹.

18   ELISABETH FLICKENSCHILDT – die bekannte Schauspielerin trat auch mit zwei Büchern hervor: den Erinnerungen ›Kind mit roten Haaren‹ (1972) und dem Roman ›Pflaumen am Hut‹ (1974).

19–20 ALBRECHT GOES – geboren 1908, Erzähler, Lyriker, Essayist, Theologe. Bei S. Fischer erschienen u. a. ›Unruhige Nacht‹ (Erzählung, 1949), ›Freude am Gedicht‹ (1952), ›Das Brandopfer‹ (Erzählung, 1954), ›Aber im Winde das Wort. Prosa und Verse aus zwanzig Jahren‹ (1963).

21   GÜNTER GRASS – 1927 in Danzig geboren, lebt in Berlin. Georg-Büchner-Preis 1965. ›Die Blechtrommel‹ (1959), ›Katz und Maus‹ (1961), ›Hundejahre‹ (1963), ›Örtlich betäubt‹ (1969), ›Gesammelte Gedichte‹ (1971), ›Aus dem Tagebuch einer Schnecke‹ (1972).

22–24 MANFRED HAUSMANN – 1898 geboren. Bei S. Fischer erschien als erstes Buch 1929 der Roman ›Salut gen Himmel‹. Danach 1930 ›Kleine Liebe zu Amerika‹, 1931 ›Abel mit der Mundharmonika‹. Gesammelte Erzählungen 1952 unter dem Titel ›Der Überfall‹. In einem Brief an die ›Neue Zeitung‹ (›Briefe an die Nacht‹, GW IX) setzte sich TM 1947 wegen seiner politischen Haltung 1933 mit Manfred Hausmann auseinander.
      Der vorliegende Text ist mit freundlicher Genehmigung des Neukirchener Verlags des Erziehungsvereins dem Band ›Spiegel der Erinnerung‹ entnommen.

25   WALTER JENS – geboren 1923, Altphilologe, Romancier, Essayist. Erster Roman 1950 ›Nein. Die Welt der Angeklagten‹. ›Statt einer Literaturgeschichte. Essays‹ (1957), ›Von deutscher Rede. Essays‹ (1969).
      Der Brief S. Fischers vom 17. 9. 1924 ist zitiert in ›Peter de Mendelssohn, S. Fischer und sein Verlag‹. (S. Fischer, 1970).

26–27 HEDWIG FISCHER – aus einem unveröffentlichten Manuskript ›Erinnerungen‹. GOTTFRIED BERMANN FISCHER – in der Zueignung des Sonderhefts der ›Neuen Rundschau‹ zu TMs 80. Geburtstag.

Abgedruckt in ›Gottfried Bermann Fischer, Bedroht – Bewahrt‹ (S. Fischer, 1967). KATIA MANN – aus ›Meine ungeschriebenen Memoiren‹ (S. Fischer, 1974).

28   UWE JOHNSON – geboren 1934 in Pommern, lebt in Berlin. Georg-Büchner-Preis 1971. Erster Roman 1959 ›Mutmaßungen über Jakob‹. Tetralogie ›Jahrestage. Aus dem Leben von Gesine Cresspahl‹ (1970–1975).

29   HELMUT KÄUTNER – geboren 1908, Schauspieler und Filmregisseur (›Der Apfel ist ab‹, 1948, ›Die letzte Brücke‹, 1953).

30–31   MARIE LUISE KASCHNITZ – geboren 1901, gestorben im Oktober 1974. Das Manuskript des vorliegenden Textes trägt den Vermerk »August« [1974]. Als nachgelassenes Werk der großen Dichterin erschien 1975 ›Der alte Garten. Ein Märchen‹.

32–33   LEW KOPELEW – geboren 1912, Literatur- und Theaterwissenschaftler, lebt in Moskau. Dissertation 1941 über ›Probleme der Revolution in Schillers Dramen‹. Bei S. Fischer erschien 1973 ›Zwei Epochen deutsch-russischer Literaturbeziehungen‹.
Zeichnung von Gunter Böhmer aus dem Band ›Thamar‹ (S. Fischer, 1956).

36   BRUNO KREISKY – der in Wien 1911 geborene Politiker war von 1938 bis 1945 in Schweden emigriert, 1959–1966 österreichischer Außenminister, seit 1970 Bundeskanzler. Veröffentlichte 1974 ›Aspekte des demokratischen Sozialismus‹.

37   ERNST KŘENEK – der 1900 in Wien geborene Komponist – Opern, Orchesterwerke, Kammermusik, Klavier- und Vokalwerke – hat in vielen Vorträgen und Schriften seine Auffassung von Musik dargelegt. Publizierte u. a. ›Music Here and Now‹ (1939), von TM in der ›Entstehung des Doktor Faustus‹ als »Hilfs- und Nutzwerk ersten Ranges« gerühmt, ›Selbstdarstellung‹ (1948), ›Zwölfton-Kontrapunktstudien‹ (1952), ›Komponist und Hörer‹ (1960).

38–39   REINER KUNZE – geboren 1933 im Erzgebirge, lebt in Greiz (Thüringen). Bei S. Fischer erschienen von ihm 1970 ›Der Löwe Leo-

pold. Fast Märchen, fast Geschichten‹ (Deutscher Jugendbuch-preis), 1972 der Gedichtband ›Zimmerlautstärke‹.
Umschlag der Nr. 39 vom 25. September 1937 von ›Das Neue Tage-Buch‹, wo TMs Aufsatz ›Zu Masaryks Gedächtnis‹ zuerst veröffentlicht wurde.

41–42 LEOPOLD LINDTBERG – geboren 1902 in Wien, Theater- und Film-regisseur, 1964–1968 Intendant des Zürcher Schauspielhauses. Publizierte 1972 einen Band ›Reden und Aufsätze‹.
Umschlag der ersten Buchveröffentlichung ›Ein Briefwechsel‹ (Zü-rich, Oprecht 1937) mit handschriftlicher Korrektur von TM. Als ›Briefwechsel mit Bonn‹ in GW XII.

43–44 ROBERT MINDER – geboren 1902 in Wasselonne (Elsaß). Seit 1957 Professor für Germanistik am Collège de France in Paris. Wichtige Publikationen: ›Tieck. Un poète romantique allemand‹ (1936), ›Kultur und Literatur in Deutschland und Frankreich‹ (dt. 1962), ›Dichter in der Gesellschaft‹ (dt. 1966), ›Wozu Literatur‹ (dt. 1971).
Umschlag der Erstausgabe von ›Das Wunderkind‹ (S. Fischer, 1914).

45 HENRI NANNEN – geboren 1913. Seit 1949 Chefredakteur des ›stern‹.

48 GEORGES POULET – 1902 in Lüttich geborener Literaturhistoriker. Lehrte seit 1957 an der Universität Zürich, danach in Genf. Veröffentlichte 1949 ›Etudes sur le temps humain‹, 1961 ›Les Mé-tamorphoses du Cercle‹ (dt. 1966 bei S. Fischer).
Leier und Bogen – das von H. E. Mende entworfene, später mehr-fach abgewandelte Einband-Signet ist erstmals 1922 auf dem Ein-banddeckel von ›Rede und Antwort‹ verwendet, erscheint sodann auf der zehnbändigen Gesamtausgabe von 1925 und später auch auf den Einzelbänden der Stockholmer Gesamtausgabe.

49–50 GÜNTHER RENNERT – geboren 1911, Regisseur, von 1946 bis 1955 Intendant der Staatsoper Hamburg, von 1967 bis 1975 der Bayeri-schen Staatsoper München. Über Inszenierungen zwischen 1963 und 1973 berichtet sein Buch ›Opernarbeit‹ (1974).

51–54 LUISE RINSER – die 1911 geborene Schriftstellerin debütierte 1940
mit den Erzählungen ›Die gläsernen Ringe‹. 1946 erschien ›Ge-
fängnistagebuch‹, 1950 ›Mitte des Lebens‹ (Roman), 1952 ›Danie-
la‹ (Roman), 1964 ›Die vollkommene Freude‹ (Roman), 1974 ›Der
schwarze Esel‹ (Roman), sämtlich bei S. Fischer.

55 ARTHUR RUBINSTEIN – der 1887 in Lodz geborene Pianist hat die
frühen Jahre seines bewegten Lebens in den 1973 bei S. Fischer erschienenen ›Erinnerungen‹ beschrieben. TM bezeichnet ihn in ›Die
Entstehung des Doktor Faustus‹ als einen »der glücklichsten Menschen, denen ich begegnet bin«.
Zeichnung von Paul Rosié aus der illustrierten Ausgabe von ›Buddenbrooks‹ (Berlin, Verlag Neues Leben 1974).

56 GEORG SOLTI – 1912 in Budapest geborener Dirigent. Assistent von
Toscanini in Salzburg. Leitete ab 1946 die Münchener, ab 1952 die
Frankfurter Oper. Von 1961 bis 1971 musikalischer Direktor von
Covent Garden, London. Seit 1969 Direktor des Chicago Sym-
phony Orchestra.

57 HANS HEINZ STUCKENSCHMIDT – geboren 1901, Professor für Mu-
sikgeschichte in Berlin. Musiktheoretische und biographische
Werke, u. a. ›Ferruccio Busoni‹ (1967), ›Arnold Schönberg‹ (1974).
Ein früheres Schönberg-Buch hatte TM »sehr warm und schön und
kundig« gefunden (Briefe III).
Das Briefzitat (1. 2. 1938) ist dem Band ›Thomas Mann, Briefwech-
sel mit seinem Verleger Gottfried Bermann Fischer 1932–1955‹ (S.
Fischer, 1973) entnommen.

58–59 ›Buddenbrooks‹ – von links nach rechts: Innentitel der Erstausgabe
von 1901; Schutzumschlag der einbändigen Ausgabe 1909 von
Wilhelm Schulz; Einband der zweibändigen Jubiläumsausgabe
1910 von Karl Walser; Innentitel der zweibändigen Ausgabe 1919
von Emil Preetorius; Schutzumschlag der Sonderausgabe 1969 von
Eberhard Marhold.

60 ANGUS WILSON – 1913 geborener englischer Erzähler. Seine ersten
Kurzgeschichten erschienen 1949 (›The wrong set‹). Romane:
›Hemlock and After‹ (1952), ›Späte Entdeckungen‹ (dt. 1957), ›Meg
Eliot‹ (dt. 1960), ›Wie durch Magie‹ (dt. 1975).

61–62 GABRIELE WOHMANN – geboren 1932, schreibt Erzählungen, Romane, Lyrik, Kritik, Fernseh- und Hörspiele, u. a. ›Abschied für länger‹ (Roman, 1966), ›Ländliches Fest und andere Erzählungen‹ (1968), ›Paulinchen war allein zu Haus‹ (Erzählung, 1974). Titelvignette von Karl Walser für die Erstausgabe von ›Unordnung und frühes Leid‹ (S. Fischer, 1926).

63–64 CHRISTA WOLF – geboren 1929 in Landsberg/Warthe, lebt in Kleinmachnow (DDR). Romane: ›Der geteilte Himmel‹ (1963), ›Nachdenken über Christa T.‹ (1969). Ferner ›Lesen und Schreiben‹ (1972).

65–66 CARL ZUCKMAYER – geboren 1896, seit fünfzig Jahren (›Der fröhliche Weinberg‹, 1925) einer der meistgespielten Dramatiker Deutschlands. Sein neuestes Stück ›Der Rattenfänger‹, erschienen im Fischer Taschenbuch Verlag, wurde im Februar 1975 in Zürich uraufgeführt.

67–68 GERHARD ZWERENZ – geboren 1925 in Gablenz (Vogtland), lebt seit 1957 in der Bundesrepublik. Veröffentlichte bei S. Fischer u. a. ›Kopf und Bauch. Die Geschichte eines Arbeiters, der unter die Intellektuellen gefallen ist‹ (1971), ›Die Erde ist unbewohnbar wie der Mond‹ (Roman, 1973), ›Der Widerspruch‹ (Ein autobiographischer Bericht, 1974).

Die bibliographischen Angaben geben den Stand vom 30. April 1975 wieder. Änderungen vorbehalten.

Gesammelte Werke in dreizehn Bänden

Neudruck der Ausgabe in 12 Bänden (1960), erweitert um einen Nachtragsband. Wird mit Ausnahme von Band XIII nur geschlossen abgegeben. 1974. 12 081 S. Ln. 2 Kassetten. DM 600,–; Ld. 2 Kassetten DM 1280,–

–. Band XIII. Nachträge. 1974. 1152 S. Ln. DM 58,–; Ld. DM 140,–

–. Supplementband. Thomas Mann – Ton- und Filmaufnahmen. Ein Verzeichnis. Zusammengestellt und bearbeitet von Ernst Loewy. Herausgegeben vom Deutschen Rundfunkarchiv. 1974. 175 S. Brosch. DM 25,–

Einzelausgaben

Adel des Geistes. Sechzehn Versuche zum Problem der Humanität. (Stockholmer Gesamtausgabe) 1945. 18.–20. Tsd. 1967. 616 S. Ln. DM 34,–

Altes und Neues. Kleine Prosa aus fünf Jahrzehnten. (Stockholmer Gesamtausgabe) 1953. 9.–14. Tsd. 1961. 756 S. Ln. DM 32,–

Autobiographisches./Das letzte Jahr. Bericht über meinen Vater. Von Erika Mann. Herausgegeben und mit einem Vorwort versehen von Erika Mann. 1968. 375 S. Ln. DM 30,–

Bekenntnisse des Hochstaplers Felix Krull. Der Memoiren erster Teil. (1954). (S. Fischer Sonderausgabe) 1962. 47.–51. Tsd. 1974. 390 S. Ln. DM 18,–

–. (Fischer Taschenbuch Verlag 639). 1965. 224.–243. Tsd. 1975. 300 S. Kart. DM 4,80

Betrachtungen eines Unpolitischen. (1918). (Stockholmer Gesamtausgabe). Mit einer Einleitung von Erika Mann. 1956. xv, 582 S. Ln. DM 24,–

Die Betrogene. Erzählung. 1953. 16.–20. Tsd. 1954. 127 S. Ln. DM 8,50

Buddenbrooks. Verfall einer Familie. (1901). (S. Fischer Sonderausgabe). 1967. 31.–40. Tsd. 1974. 670 S. Ln. DM 22,–

–. (Fischer Taschenbuch Verlag 661). 1960. 298.–317. Tsd. 1974. 518 S. Kart. DM 6,80

Deutschland und die Deutschen. 1947. 40 S. Kart. DM 3,–

Doktor Faustus. Das Leben des deutschen Tonsetzers Adrian Leverkühn erzählt von einem Freunde. (Stockholmer Gesamtausgabe). 1947. 76.–80. Tsd. 1967. 677 S. Ln. DM 29,–

–. (Fischer Taschenbuch Verlag 1230). 1971. 48.–60. Tsd. 1975. 511 S. Kart. DM 7,80

Doktor Faustus. Das Leben des deutschen Tonsetzers Adrian Leverkühn erzählt von einem Freunde./Die Entstehung des Doktor Faustus. Roman eines Romans. (1945./1949). (S. Fischer Sonderausgabe). 1967. 848 S. Ln. DM 22,–

Die Entstehung des Doktor Faustus. Roman eines Romans. (Stockholmer Gesamtausgabe). 1949. 24.–27. Tsd. 1966. 176 S. Ln. DM 16,50

Der Erwählte. Roman. (Fischer Taschenbuch Verlag 1532). 1974. 208 S. Kart. DM 4,80

Erzählungen: Sämtliche Erzählungen. (S. Fischer Sonderausgabe). 1971. 39.–48. Tsd. 1974. 766 S. Ln. DM 24,–

–: Die Erzählungen. (Fischer Taschenbuch Verlag 1591, 1592). Zwei Bände. 1975. Zus. 840 S. Kart. Je Band DM 6,80

Fiorenza. Drei Akte. (1906). Mit einem Nachwort von Winfried Hellmann. (Schulausgabe). 1959. 115 S. Kart. DM 2,50

Gesang vom Kindchen. Eine Idylle. (1920). 1959. 40 S. Pappband. DM 5,80

Herr und Hund. Ein Idyll. (1919). (Fischer Taschenbuch Verlag 85). 1955. 273.–280. Tsd. 1975. 123 S. Kart. DM 2,80

Joseph und seine Brüder. (Vorspiel: Höllenfahrt./Die Geschichten Jaakobs. 1933. – Der junge Joseph. 1934. – Joseph in Ägypten. 1936. – Joseph, der Ernährer. 1943). (Fischer Taschenbuch Verlag 1183, 1184, 1185). Drei Bände. 1971. 21.–27. Tsd. 1974. Zus. 1364 S. Kart. Je Band DM 6,80

Königliche Hoheit. Roman. (1909). (S. Fischer Sonderausgabe). 1970. 7.–10. Tsd. 1975. 384 S. Ln. DM 24,–

–. (Fischer Taschenbuch Verlag 2). 1952. 451.–460. Tsd. 1975. 267 S. Kart. DM 4,80

Lotte in Weimar. Roman. (1939). (S. Fischer Sonderausgabe). 1974. 6.–9. Tsd. 1975. 408 S. Ln. DM 25,–

–. (Fischer Taschenbuch Verlag 300). 1959. 128.–142. Tsd. 1974. 301 S. Kart. DM 4,80

Mario und der Zauberer. Ein tragisches Reiseerlebnis. (1930). Mit einem Nachwort von Carl Sporn. (Schulausgabe). 1953. 113.–124. Tsd. 1971. 62 S. Kart. DM 2,50

Nachlese. Prosa 1951–1955. (Stockholmer Gesamtausgabe). 1956. 11.–13. Tsd. 1967. 244 S. Ln. DM 21,50

Reden und Aufsätze I. (Stockholmer Gesamtausgabe). 1965. 790 S. Ln. DM 38,–

Reden und Aufsätze II. (Stockholmer Gesamtausgabe). 1965. 832 S. Ln. DM 38,–

Sorge um Deutschland. Sechs Essays. Mit einem Nachwort von Bernt Richter. (Schulausgabe). 1957. 134 S. Kart. DM 3,–

Thamar. Erzählung. Bibliophile Ausgabe auf Zerkall-Bütten. 1956. 63 S. mit 12 Illustrationen von Gunter Böhmer. Geb. im Schuber. DM 9,80

Der Tod in Venedig. (1912). Mit neun Illustrationen von Alfred Hrdlicka. 1973. 181 S. Ln. DM 16,80

Der Tod in Venedig und andere Erzählungen. (Fischer Taschenbuch Verlag 54). 1954. 658.–687. Tsd. 1974. 248 S. Kart. DM 4,80

Tonio Kröger. Novelle. (1903). 1965. 87 S. Ln. DM 7,80

Tonio Kröger./Mario und der Zauberer. Ein tragisches Reiseerlebnis. (1903./1940). Mit einem Nachwort zu ›Tonio Kröger‹ von Karl Jacobs und einem Nachwort zu ›Mario und der Zauberer‹ von Carl Sporn. (Fischer Taschenbuch Verlag 1381). 1973. 81.–110. Tsd. 1975. 124 S. Kart. DM 2,80

Unordnung und frühes Leid. Novelle. (1926). 1955. 15.–26. Tsd. 1956.
78 S. Ln. DM 6,80

Wagner und unsere Zeit. Aufsätze, Betrachtungen, Briefe. Herausgegeben
von Erika Mann. Mit einem Vorwort von Willi Schuh. 1963. 188 S.
Brosch. DM 11,80

Der Zauberberg. Roman. (1924). (Fischer Taschenbuch Verlag 800/1,
800/2). Zwei Bände. 1967. 108.–117. Tsd. 1975. Zus. 1120 S. Kart. Je
Band DM 4,80

–. Mit der »Einführung in den ›Zauberberg‹ für Studenten der Universität
Princeton« als Vorwort. (S. Fischer Sonderausgabe). 1970. (14.–18.
Tsd.). 1974. 875 S. Ln. DM 32,–

Briefe 1889–1936. Herausgegeben und mit einer Einleitung versehen von
Erika Mann. 1961. 14.–19. Tsd. 1962. XII, 584 S. Ln. DM 28,–

Briefe 1937–1947. Herausgegeben und mit einer Einleitung versehen von
Erika Mann. 1963. 12.–19. Tsd. 1963. 767 S. Ln. DM 36,–

Briefe 1948–1955 und Nachlese. Herausgegeben und mit einer Einleitung
versehen von Erika Mann. 1965. 656 S. Ln. DM 36,–

Briefe an Otto Grautoff 1894–1901 und Ida Boy-Ed 1903–1928. Herausgegeben von Peter de Mendelssohn. 1975. 320 S. Ln. DM 36,–

Briefwechsel mit seinem Verleger Gottfried Bermann Fischer 1932–1955.
Herausgegeben von Peter de Mendelssohn. Mit einem Vorwort von
Gottfried Bermann Fischer und Vorbemerkungen des Herausgebers.
1973. XXXV, 891 S. Ln. DM 72,–

–. (Fischer Taschenbuch Verlag 1566/1, 1566/2). Zwei Bände. 1975. XXXV,
891 S. Kart. Je Band DM 6,80

Thomas Mann – Karl Kerényi, Gespräch in Briefen. Herausgegeben von
Karl Kerényi. (1960). 1972. 223 S. Ln. DM 24,–

Thomas Mann – Heinrich Mann, Briefwechsel 1900–1949. Auf Grund der
1965 von der Deutschen Akademie der Künste zu Berlin im Aufbau-Verlag veröffentlichten, von Ulrich Dietzel redigierten Ausgabe *Thomas*

Mann/Heinrich Mann, Briefwechsel 1900–1949 in erweiterter Form aus den Beständen der Deutschen Akademie der Künste zu Berlin, des Schiller-Nationalmuseums zu Marbach und des Thomas Mann-Archivs der Eidgenössischen Technischen Hochschule zu Zürich herausgegeben von Hans Wysling. Mit einer Einführung des Herausgebers. (1968). (Fischer Taschenbuch Verlag 1610). 1975. LXII, 373 S. Kart. DM 8,80

Dichter über ihre Dichtungen: Thomas Mann. Teil I–III. Herausgegeben von Hans Wysling unter Mitwirkung von Marianne Fischer.
Teil I: 1889–1917. 1975. 762 S. Ln. DM 78,– (Heimeran/S. Fischer)

Die Briefe Thomas Manns. Regesten und Register. Band I–IV. Bearbeitet und herausgegeben unter Mitwirkung des Thomas Mann-Archivs der Eidgenössischen Technischen Hochschule in Zürich von Hans Bürgin und Hans-Otto Mayer. Mit einem Vorwort von Hans Wysling.
Band I. 1889–1933. Ersch. 1976. ca. 820 S. Ln. ca. DM 200,–

Thomas Mann. Eine Chronik seines Lebens. Zusammengestellt von Hans Bürgin und Hans-Otto Mayer. 1965. 284 S. und 16 Bildtafeln. Ln. DM 29,50

–. (Fischer Taschenbuch Verlag 1470). 1974. 304 S. Kart. DM 6,80

Peter de Mendelssohn, Der Zauberer. Das Leben des deutschen Schriftstellers Thomas Mann. Band I: 1875–1918. 1975. ca. 950 S. Ln. im Schuber. ca. DM 72,–; Band II: 1919–1955.